Au cœur de l'année monastique

Données de catalogage avant publication (Canada)

D'Avila-Latourrette, Victor-Antoine
   Au cœur de l'année monastique: prières, pensées, réflexions
   Traduction de: A monastic year.
   1. Vie religieuse et monastique. I. Titre.

BX2435.D3314 1999   248.8'942 C99-940910-7

DISTRIBUTEURS EXCLUSIFS:

• Pour le Canada
  et les États-Unis:
  MESSAGERIES ADP*
  955, rue Amherst,
  Montréal, Québec
  H2L 3K4
  Tél.: (514) 523-1182
  Télécopieur: (514) 939-0406
  * Filiale de Sogides ltée

• Pour la France et les autres pays:
  INTER FORUM
  Immeuble Paryseine, 3, Allée de la Seine
  94854 Ivry Cedex
  Tél.: 01 49 59 11 89/91
  Télécopieur: 01 49 59 11 96
  Commandes: Tél.: 02 38 32 71 00
             Télécopieur: 02 38 32 71 28

• Pour la Suisse:
  DIFFUSION: HAVAS SERVICES SUISSE
  Case postale 69 - 1701 Fribourg - Suisse
  Tél.: (41-26) 460-80-60
  Télécopieur: (41-26) 460-80-68
  Internet: www.havas.ch
  Email: office@havas.ch
  DISTRIBUTION: OLF SA
  Z.I. 3, Corminbœuf
  Case postale 1061
  CH-1701 FRIBOURG
  Commandes: Tél.: (41-26) 467-53-33
             Télécopieur: (41-26) 467-54-66

• Pour la Belgique et
  le Luxembourg:
  PRESSES DE BELGIQUE S.A.
  Boulevard de l'Europe 117
  B-1301 Wavre
  Tél.: (010) 42-03-20
  Télécopieur: (010) 41-20-24

Pour en savoir davantage sur nos publications,
visitez notre site: **www.edhomme.com**
Autres sites à visiter: www.edjour.com • www.edtypo.com
• www.edvlb.com • www.edhexagone.com • www.edutilis.com

L'ouvrage original a été publié
par Taylor Publishing Company
sous le titre *A Monastic Year*

Dépôt légal: 3ᵉ trimestre 1999
Bibliothèque nationale du Québec

ISBN 2-7619-1507-0

Au cœur
de l'année
monastique

Frère Victor-Antoine
d'Avila-Latourrette

*Traduit de l'américain
par Marie Blanche Daigneault*

LES ÉDITIONS DE
L'HOMME

Préface

Afin qu'en toute chose Dieu soit glorifié.
Règle de saint Benoît

Depuis plus de deux millénaires, les résidences monastiques ont servi les civilisations de l'Orient et de l'Occident d'une manière tout à fait unique. La Parole monastique et l'Image monastique acquièrent aujourd'hui, de par le caractère vaguement apocalyptique de notre époque, une importance vitale. L'Image monastique fait référence à la vie de simplicité au sein de la complexité. Elle représente une joyeuse frugalité, la perception d'un rythme de travail et de contemplation en accord avec le cycle des saisons – saisons de la nature, saisons de l'Église, saisons du cœur. La Parole monastique est le son du silence, le son de la prière intérieure accordé à la parole exprimée dans les contextes de l'activité humaine, du jeu et de la louange.

En théorie, chacun devrait pouvoir établir une vie simple, centrée, peu importe l'endroit où il vit. D'un point de vue pratique cependant, tel n'est pas le cas. De ce fait, les centres monastiques, où se concilient la Parole et l'Image en un mode de vie ponctué par les heures des offices divins, et où le silence structure les journées, offrent les moyens de se ressourcer à ceux qui aspirent à une vie centrée, mais qui se trouvent dans des circonstances nuisibles à cette intériorisation.

Ma propre expérience atteste de la validité de ce fait. Ces journées de retraite passées au monastère Notre-

Dame de la Résurrection furent pour moi autant de jours de régénération, lorsque le fil doré des heures d'offices, récités ou chantés, ourdissait les instants de silence, les temps de lectio divina ou de travail léger. Je ne conçois pas la vie monastique comme une fuite du monde mais plutôt comme une immersion en son cœur palpitant. La retraite monastique permet de s'accorder aux battements de ce cœur et d'œuvrer dans le monde, en harmonie avec les mouvements les plus fondamentaux de la création.

Je suis une universitaire. Il y a plusieurs siècles déjà, l'université – *universitas* – procurait de tels fondements pour la pensée et pour l'esprit. Il n'en est plus ainsi de nos jours. Il est donc essentiel d'identifier, de confirmer et de soutenir l'existence de ces centres permettant d'établir une fondation parmi nous, les résidences monastiques, pour qu'ainsi se perpétue une fonction qui semble autrement vouée à disparaître. Les ressources de la résidence monastique sont offertes non seulement à l'intellectuel, mais également aux activistes, aux artistes et artisans, et à tous ceux dont le dur labeur permet la perpétuation de l'humanité jour après jour. Telle oasis alimente notre créativité et apaise notre compétitivité, lorsque nous sommes confrontés aux problèmes qu'entraîne la vie moderne. Les monastères ne sont peut-être pas considérés comme des berceaux de transformation sociale, et pourtant, parce qu'ils permettent de s'affranchir des pressions immédiates, les monastères engendrèrent des émissaires de réformes sociales, autant jadis qu'aujourd'hui. Le monachisme est la matrice de l'avenir.

ELISE BOULDING,
professeur émérite, sociologie, Dartmouth College

Introduction

Si l'homme reste à sa place, il ne sera pas troublé.
ABBA PŒMEN, Père du désert

L a tradition monastique permet que la vie monacale emprunte diverses formes. Un moine peut choisir de vivre dans la solitude d'un ermitage, il peut partager un skite, un petit monastère, avec deux ou trois autres moines, ou encore habiter un monastère abritant une communauté plus importante. La tradition monastique admet également les moines pèlerins itinérants, dont la vocation s'épanouit au fil de la pratique séculaire du pèlerinage. La vocation du moine pèlerin, souvent sans domicile permanent, mûrit dans le sillage des vastes chemins et des étroits sentiers parcourant l'immensité du monde de Dieu. Les moines peuvent vivre seuls le mystère de leur vocation en divers points géographiques ; certains seront appelés à demeurer physiquement dans le désert véritable, d'autres à habiter la paisible campagne, ou encore l'anonymat diffus d'une grande ville, parmi la foule tumultueuse. Il importe davantage au moine de découvrir l'endroit où Dieu souhaite sa présence que la manière dont se déroulera son existence. Dès lors, le moine demeurera à cet endroit, comme l'affirme le sage, Abba Pœmen. Jetant ses bases concrètes en un lieu précis dans le monde, le moine peut consacrer son être tout entier à la quête de Dieu, seul objectif de la vie monacale.

À l'instar de saint Benoît, qui a conçu sa petite règle à l'adresse des débutants, j'ai rédigé ce livre à l'intention des néophytes sous forme d'une brève introduction, simple et modeste, aux mystères de la vie monastique. Mon ouvrage ne cherche nullement à se mesurer aux merveilleux traités sur le sujet, compositions d'auteurs renommés qui font autorité et qui remplissent les bibliothèques de nos monastères. Au fil des ans, j'ai pu constater que les visiteurs à notre petit monastère souhaitaient en apprendre davantage sur la vie monastique. Ils admettaient tout simplement mal connaître ce mode de vie et ses origines. C'est à leur intention que j'ai composé *Au cœur de l'année monastique*.

Ce livre est également le produit d'une expérience monastique. Notre-Dame de la Résurrection suit la Règle de saint Benoît, ainsi que les traditions émanant de l'Orient et de l'Occident chrétiens (notamment la tradition monastique française). Depuis l'époque de saint Benoît jusqu'aux développements ultérieurs au Moyen Âge et au XIXe siècle, de nombreux moines et moniales nous ont fait part de leur expérience. Pour ma part, j'ai préféré suivre l'intuition originelle de saint Benoît et à travers lui, remonter plutôt aux sources premières du monachisme, jusqu'au désert. Ce monachisme millénaire m'est apparu comme le lien direct à l'Évangile et comme une authentique expression des enseignements du Christ. La vie monastique des débuts au désert n'était ni plus ni moins qu'une tentative réelle et explicite de servir de miroir aux Évangiles. Le monachisme originel n'a jamais cherché à se distinguer des autres modes de vie chrétienne qui lui étaient contemporains ; il tentait uniquement une application littérale de l'Évangile.

Au cours des tumultueux IIIe et IVe siècles, alors que le mouvement monastique se développait, la communauté ecclésiastique fut admise et assimilée dans l'Empire romain. Le christianisme fut adopté comme religion d'État. En conséquence, l'Église dut abandonner certaines valeurs au profit d'une intégration harmonieuse à son nouveau statut. Nombre de chrétiens de l'époque refusèrent cette conciliation. Ils résolurent de se retirer dans le désert, où ils tenteraient désormais de vivre la vérité de l'Évangile sans défaillance et sans compromis. C'était là une tâche ardue pour ces premiers moines et moniales, qui relevèrent toutefois le défi, faisant appel dans leur combat à la seule grâce, à la seule puissance de l'Esprit de Dieu. Il en va de même aujourd'hui : dans leur dénuement spirituel sur cette voie monastique retraçant les chemins de l'Évangile, les moines et moniales n'ont pour unique recours que l'Esprit de Dieu. L'existence monastique à Notre-Dame de la Résurrection est simple et précaire, frugale et incertaine, à l'image de celle des moines et moniales du désert. Elle est toutefois source de paix intérieure, de joie, de sérénité, les fruits immédiats d'une vie en accord avec la vérité des Évangiles. Les pages de ce livre attestent cette réalité.

Au cœur de l'année monastique n'aborde qu'un seul thème ; sa forme toutefois est pour le moins éclectique. La vie monastique y est décrite en rapport avec les saisons, car celles-ci jouent un rôle prépondérant dans la vie du moine. Elles façonnent ses prières, son travail. Chaque saison est associée, au fil des pages, à un aspect spécifique de la vie au monastère. Le chapitre intitulé « L'hiver » se penche sur les cycles de la vie monacale, sur l'exceptionnelle synchronie entre la nature et la saison liturgique. L'Avent, Noël et l'Épiphanie sont examinés en profondeur, tout en touchant la période hivernale au monastère et les fêtes des saints appartenant à cette saison. «Le printemps» s'attache aux sources de la vie monastique, à ses origines et ses traditions. Il explique également le déroulement du carême, de Pâques et de la Pentecôte au monastère, et leur impact sur l'existence du moine. «L'été» explore divers aspects de la vie religieuse, tels la foi, l'obéissance, l'humilité, le silence, la simplicité ainsi que l'effet bienfaisant que leur inspiration et leur application apportent dans l'existence de chacun, qu'il soit moine ou non. Pour couronner l'ouvrage, «L'automne» traite des multiples dimensions du travail dans le cadre monacal: travail de l'amour, travail de la prière, travail de Dieu, travail de nos mains, et encore davantage. Les nombreuses activités qui jalonnent l'existence monastique sont souvent désignées *Ora et labora*: prière et travail. Et pourtant, on oublie souvent l'enseignement des Pères et des Mères du désert à l'effet que la prière elle-même constitue un travail, peut-être la plus ardue et la plus audacieuse des tâches. En conclusion, le livre contient un glossaire ainsi qu'une bibliographie sélective. Ces appendices permettront au lecteur curieux une exploration ultérieure.

Pour terminer, je souhaite remercier tous ceux qui m'ont aidé et soutenu au cours de la production de ce petit ouvrage. Que le Seigneur les bénisse infiniment, eux, ainsi que le lecteur qui, je l'espère, découvrira et goûtera au fil de ces pages la bienveillance du Seigneur envers ceux qui le cherchent au cœur du désert de la vie monastique.

FRÈRE VICTOR-ANTOINE D'AVILA-LATOURRETTE

L'hiver

Les cycles de la vie monastique

L'Avent

Notre hiver s'éternise
Notre nuit est sombre.
Viens à notre secours,
Ô lumière salvatrice.
Hymne allemande du xvᵉ siècle

À l'approche de l'Avent, les jours raccourcissent, l'air refroidit et le monde physique dans son ensemble revêt une immuable tranquillité. Toutes les créatures vivantes qui doivent survivre à l'extérieur jusqu'au bout de l'hiver se retirent en elles-mêmes. Les arbres retirent leur sève, les animaux de la forêt hibernent et toute créature qui se déplace encore de par ce monde glacé, enneigé, enfouit prudemment ses réserves de nourriture.

En cette saison bénie de l'Avent, le chrétien est invité, à l'image de la nature qui entre profondément en elle-même pour la période hivernale, à l'intériorisation pour préparer l'avènement de Notre Seigneur. Cette préparation intérieure par la prière, le silence, la lecture de la Bible et par les œuvres charitables, s'avère essentielle afin de pouvoir célébrer dignement la commémoration solennelle de la naissance du Seigneur le jour de Noël, et pendant toute la saison de Noël.

L'Avent, sereine attente de la Lumière qui vient le jour de Noël nous éclairer et nous secourir de la vaste obscurité et du désespoir qui voilent notre quotidien, est ainsi une saison toute empreinte d'espérance qui concilie la venue du Messie annoncé en Jésus avec la venue du Christ en nos cœurs, après préparation préliminaire, et avec le retour du Christ à la fin des temps. De même que les autres saisons de l'année liturgique, l'Avent commémore un événement passé afin de provoquer une prise de conscience devant un mystère qui agit encore dans nos vies à l'heure actuelle et afin de nous combler d'espoir face à l'avenir.

La tradition chrétienne orientale conçoit l'Avent comme une saison d'attente de la Lumière qui rayonnera tout d'abord à Noël et qui culminera à l'Épiphanie, la fête des Lumières. Le merveilleux texte d'Isaïe est proclamé pendant la Liturgie : « Debout ! Resplendis ! car voici ta lumière, et sur toi se lève la gloire de Yahvé... sur toi se lève Yahvé, et sa gloire sur toi paraît. » (Isaïe 60,1-2)

Il est formidable de constater que, dans l'hémisphère nord, la naissance du Christ correspond à la victoire de la lumière sur les ténèbres du monde matériel. Après le solstice d'hiver, vers le 22 décembre, le jour graduellement se prolonge, et nous remplit d'un sentiment d'expectative et d'espérance. De même, au fil de notre traversée de l'Avent, s'intensifie en nous l'aspiration vers la Lumière authentique qui sera révélée le jour de Noël, dissipant dès lors l'opacité au tréfonds de notre cœur. Pendant ces longues nuits de l'Avent, l'Église d'Orient récite comme prière une des liturgies qui lui est propre : « À ceux qui, prisonniers dans la nuit, s'égarent dans les œuvres des ténèbres, accorde, Ô Christ, ta lumière et tes bénédictions. »

Parce que nous nous voyons précipités dans une abysse de terreur et de ténèbres, nous prenons conscience de notre besoin instinctif de lumière, de la lumière de vérité qu'est le Christ (Jean 14,6). Lorsque s'achève notre périple de l'Avent, nous pénétrons le mystère de la naissance du Christ, «nous nous réjouissons remplis d'allégresse», car comme l'affirme un texte byzantin: «Notre Sauveur, étoile du Très-Haut, nous a visités, et nous qui étions dans les ténèbres et l'obscurité avons trouvé la lumière!» Le jour de Noël, cette soif intense qu'exprime la prière de l'Avent, «Viens, Seigneur Jésus», sera apaisée. Notre espérance devient une promesse renouvelée, et les ténèbres de notre vie seront dissipées par la splendeur de la lumière de Dieu.

Seigneur Jésus-Christ,
Fils de Dieu et Fils de Marie
Tu es l'aurore scintillante du matin
Viens et délivre-nous de la terreur
Et de l'obscurité de nos vies de tous les jours.
Tout comme l'Église des temps jadis
Clamait vers toi, nous appelons de même d'une seule voix:
Viens, Seigneur Jésus, viens!
Tourne ton regard bienveillant vers nous
Qui attendons ta venue,
Et fait briller sur nous
Ta lumière salvatrice.

L'ODYSSÉE DE L'AVENT

Ô Jésus, Lumière éternelle,
créateur de l'univers,
toi qui nous as tous rachetés,
daigne exaucer nos prières.
Dans ta pitié pour notre monde
qui s'en allait en perdition,
tu l'as sauvé de sa langueur,
en lui donnant la guérison.
Quand notre monde allait vers le soir,
comme l'époux hors de sa tente,
tu es né du sein très pur
de la Vierge Mère, Marie.
Conditor Alme Siderum,
Hymne de l'Avent pour les vêpres

Au tout début de l'hiver, serti dans le paysage rural du comté Dutchess, dans l'État de New York, on peut apercevoir le monastère contemplatif Notre-Dame de la Résurrection. Perché au sommet d'une colline, entouré des boisés silencieux de l'hiver, notre petit monastère isolé se situe à quelques kilomètres seulement de Millbrook, le village voisin. Le radieux feuillage automnal a disparu, les arbres sont dénudés, écorchés. L'hiver naissant nous réserve ce plaisir délicieux : de contempler le coucher de soleil à travers les délicats motifs géométriques que dessinent les branches sur le ciel rosé, pareils aux tracés élégants des vitraux. Les arbres, avec leurs branches dépouillées tendant doucement vers la lumière, semblent partager la requête qu'exprime notre prière de l'Avent: «Viens, Seigneur Jésus, viens.»

Traditionnellement, les premiers chrétiens priaient les bras tendus vers les cieux, d'où le Seigneur était censé venir à nouveau. Pour moi, les arbres d'hiver avec leurs branches tendues rappellent symboliquement au moine qu'il doit lui aussi, notamment durant cette traversée de l'Avent, regarder en tout temps vers Dieu en une prière incessante, et tendre ses bras ouverts vers Lui animé d'un fervent désir.

Ici, dans le nord de l'État de New York, le climat du début de décembre est normalement rude, un froid rigoureux peut même sévir. Le sol n'est peut-être pas couvert de neige, mais l'hiver est sans nul doute parmi nous. Le début de l'Avent au monastère coïncide avec l'arrivée de températures froides.

Nous nous percevons, nous les moines, en pèlerinage sur les chemins de la vie, et la saison de l'Avent intensifie, approfondit, ce sentiment de transhumance. Le voyage monastique tend vers une destination, une rencontre. Le moine, dans sa solitude, aspire et prie dans l'attente de notre Sauveur, le Seigneur Jésus-Christ.

Au monastère, l'Avent prend un caractère tout particulier; il se fait sentir dès le moment où le chœur entonne le Conditor Alme Siderum, l'hymne des vêpres. De ce chant grégorien mélodieux jaillit l'exaltation qui caractérise la saison. D'année en année, par leur répétition sporadique, ces mélodies appartenant au chant monastique mûrissent en nous, et nous prenons conscience de l'exceptionnelle beauté avec laquelle elles expriment la fertile signification de la saison. Le chant

grégorien, sanctifié par un emploi séculaire dans les monastères, dévoile d'une manière unique quelque chose du mystère que commémore notre prière liturgique. Il ne faut jamais oublier que le chant religieux ne se résume pas simplement à sa musique ou à sa mélodie, mais que paroles *et* musique s'y allient, et que la musique a été composée en fonction des paroles, non pas l'inverse. Le chant religieux est donc véritablement un véhicule pour la prière. Les chants grégoriens pour la période de l'Avent, avec leur simplicité et leur sereine esthétique, permettent de transformer les sons vocaux en des actes de louange et d'adoration adressés à Dieu, hommage à toutes ses magnifiques œuvres parmi nous.

Parmi les antiennes des vêpres pour la première semaine de l'Avent, il en existe une qui éveille en moi le message d'espoir de l'Avent et qui reflète parfaitement cette merveilleuse saison : « In illa die stillabunt montes dulcedinem... » « Le jour de la venue du Seigneur, un vin doux affluera des montagnes, et les collines ruisselleront de lait et de miel. »

L'Avent marque tout d'abord l'avènement de Dieu ; en second lieu seulement s'agit-il d'une requête, d'une quête, de l'attente et de l'aspiration. Nous entrevoyons l'espoir du fait de l'amour inconditionnel que Dieu nous porte, en dépit de nos échecs, de notre peu d'enthousiasme, de notre désespoir secret. L'expression « Viens » est porteuse de mystère.

MARIA BOULDING, *The Coming of God*

Saint Nicolas

Le fruit de tes bonnes œuvres, Père saint,
a réjoui le cœur des croyants. Quel auditeur
n'admirerait en effet ta patience, ta prodigieuse
humilité, la joie dont tu comblais les indigents,
la compassion que t'inspiraient les affligés?
Tu fus pour eux tous un exemple divin,
saint Nicolas, et maintenant que
l'immarcescible couronne est posée sur ton
front, intercède pour nous-mêmes.
      Vêpres byzantines pour saint Nicolas

Au début de l'Avent, saison qui évoque intensément l'espérance en raison de « la venue prochaine du Seigneur » tel que l'annonce la Liturgie, nous célébrons la fête de saint Nicolas. Cette fête marque une trêve importante dans notre voyage de l'Avent, car sa vie illustre par excellence ce que doit être une vie vécue selon l'Évangile pour les chrétiens de tous temps et de tous lieux.

Parmi les nombreuses icônes à l'effigie des saints qui emplissent de leur présence mystérieuse notre chapelle, celle de saint Nicolas prédomine. La place qui m'est attribuée dans la chapelle est presque directement devant celui-ci, aussi ai-je donc plusieurs fois par jour l'occasion de contempler le saint pendant la prière. Cette icône possède la particularité marquante de ne pas représenter le saint seul. Au centre se trouve saint Nicolas, les bras tendus, mais comme cadre pour sa présence, sont illustrés les différents épisodes relatant ses bonnes actions, ainsi que ceux qu'il a secourus tout au long de son existence.

Je ne peux m'empêcher de penser à quel point l'humble exemple que nous fournit saint Nicolas convient à la vie chrétienne d'aujourd'hui. Sa vie plutôt ordinaire fut entièrement vouée à la prière et aux œuvres charitables. Il ne fut ni moine, ni écrivain, ni professeur, mais chaque jour il prêcha la Parole de Dieu à son peuple, et vécut en accord avec celle-ci. Il lutta pour les droits des pauvres et des opprimés et se fit l'ardent défenseur de la veuve et de l'orphelin. Aujourd'hui, on dirait de saint Nicolas que c'est un saint doué d'une conscience sociale. Je préfère plutôt le considérer comme un saint doué de la conscience de l'Évangile.

À l'image de Jésus, son Seigneur et Maître, saint Nicolas se montra un excellent berger pour ses ouailles, animé, à l'égard des parias, des indigents, des indésirables de son époque, d'une compassion et d'une miséricorde toutes spéciales ; enfin, envers tous ceux en proie à une quelconque souffrance. Sa douce bienveillance et sa vie exemplaire rayonnèrent bien au-delà des limites de ce diocèse de Myra qui était le sien, et amenèrent ainsi plusieurs incrédules à la foi en Jésus, le Messie.

La vie de saint Nicolas possède pour notre époque une valeur inestimable, non seulement à l'approche de Noël, mais tout au long de notre vie au milieu de conditions sociales similaires à celles de l'époque de saint Nicolas. Le modèle que nous offre saint Nicolas ainsi que sa prédication, en accord parfait avec l'Évangile, sont l'antithèse de la rhétorique actuelle de nombre de politiques prêchant la mesquinerie et l'individualisme :

les indigents, les vieillards, les immigrants sont à leurs yeux des ennemis envers lesquels toute compassion s'avère beaucoup trop coûteuse. De nos jours, l'intolérance envers ceux qui semblent diverger de la norme sociale de par leur race, leur langue, leur orientation sexuelle est admissible. Certains de ceux qui promulguent ces politiques se disent chrétiens, et cela m'attriste profondément, car ces idées contredisent diamétralement l'Évangile de Jésus. Une simple lecture de Matthieu 25,31-46 suffit à nous rappeler la position de l'Évangile quant à ces questions. Il est ironique de constater que ces mêmes gens souhaitent instituer la prière dans les écoles pour ainsi démontrer qu'ils sont « de bons chrétiens » ! Je cite à leur intention ce que le Seigneur lui-même déclare dans le passage de l'Évangile selon Matthieu 15,7-9 : « Hypocrites ! Isaïe a bien prophétisé de vous, quand il a dit : "Ce peuple m'honore des lèvres, mais leur cœur est loin de moi. Vain est le culte qu'ils me rendent." »

Les partis politiques ou les désignations politiques, quels qu'ils soient, n'ont que peu de sens pour moi, moine chrétien. Ces choses appartiennent au monde auquel il faut renoncer afin de suivre Jésus. Bien que la politique en soi n'ait pour moi qu'une valeur triviale, en revanche, les politiques en vigueur comptent, et il devrait en être ainsi pour tous les chrétiens. Les politiques en vigueur infirment ou contredisent les valeurs de l'Évangile. Notre devoir consiste non seulement à prier, mais il nous faut en outre dénoncer l'injustice, si nécessaire, au nom de l'Évangile. Dans un monde chaotique, égoïste, où la société adhère à des valeurs telles que l'avidité, la haine, l'intolérance, la rétribution, la vengeance et la discrimination, le chrétien, à l'instar de saint Nicolas, doit proclamer doucement, mais fermement, l'amour et l'abnégation de Jésus, la paix, la compassion et la miséricorde de l'Évangile. Nous devons avoir, sur le climat culturel et politique de ce pays, le même regard que saint Nicolas, l'humble disciple du Seigneur : il s'agit d'un défi que nous lance Dieu de prendre au sérieux l'Évangile et par notre vie même, de le professer. Voilà la grâce que nous prions Dieu de nous accorder en cette merveilleuse fête de saint Nicolas.

Dieu de miséricorde,
dans ton amour pour tes enfants,
tu as inspiré en saint Nicolas
des actes de bonté et de compassion à l'endroit des indigents.
Aide-nous à suivre son exemple
et à servir les pauvres, les affamés,
les déshérités et les délaissés
dans l'esprit véritable de l'Évangile.

La couronne
de l'Avent

Houx et lierres, coffrets et baies,
Abondent dans l'église le jour de Noël
Chant de Noël anglais du XVe siècle

La chapelle attachée à notre petit monastère est plutôt austère (comme il se doit!), notamment pendant l'Avent et le carême, lorsque, dénuée de fleurs et d'ornements, elle se pare de la seule couronne de l'Avent. En réalité, nous avons chaque année deux couronnes de l'Avent: l'une orne la chapelle et l'autre, la table du réfectoire. Ce sont là les seuls ornements de verdure dans le monastère avant le jour de Noël.

La coutume de la couronne de l'Avent, qui porte trois bougies de couleur violette et une bougie rose, tire son origine de l'Antiquité des contrées germaniques; le christianisme l'emprunta au paganisme. Chaque année, durant le mois le plus sombre (décembre, ou *Yule* comme on l'appelait alors), les Européens du nord anticipaient joyeusement les célébrations populaires qui consistaient en l'offrande de lumières et de feux. À l'époque de la Réforme, au tout début du XVIe siècle, quelques chrétiens choisirent d'intégrer cette coutume séculaire, et son symbolisme des lumières, à leurs pratiques du temps de l'Avent. Ils transformèrent ainsi ce qui était une tradition païenne en une coutume chrétienne, puisque le

Christ est à la fois symbole de la lumière et Lumière du monde. En Allemagne, cette coutume fut adoptée par les protestants et les catholiques, et l'usage se répandit dans les monastères des régions environnantes, pour ensuite se propager au reste du monde.

Ici au monastère, nous attendons avec impatience la fabrication de la couronne, composée de rameaux de sapin provenant de notre propriété, aussi bien que de voir briller la flamme de la première bougie, le premier dimanche de l'Avent. Les soirs qui suivent, avant le dîner, nous allumons la bougie de la semaine, puis nous chantons une hymne de l'Avent suivie de la prière appropriée.

Les éclats naissants de la première bougie éveillent en nous une joie et une anticipation intenses, car la paisible lumière annonce la célébration prochaine de la naissance de Notre Seigneur. La prière terminée, nous nous asseyons pour manger à la lueur scintillante de la

couronne de l'Avent, et cette illumination douce et sou-
riante est source d'un chaleureux réconfort. C'est là un
moment lourd de sens dans notre journée monastique,
un moment rempli de promesses, de paix, de ferveur,
d'espérance et d'heureuse attente en vue de la naissance
toute proche du Sauveur. L'exclamation de l'Église
originelle retentit sans cesse dans le cœur du moine :
Viens, viens, Seigneur Jésus. Viens, Ô toi, promesse
comblée !

> L'obscurité est sans issue.
> Seule la lumière éclaire
> les différences entre les choses :
> et c'est le Christ qui nous dévoile la lumière.
>
> C. T. WHITMELL

Jean-Sébastien Bach:
ménestrel de Dieu

Sauveur des nations, viens,
Fils de la Vierge, fais de ce lieu ta demeure!
Ô ciel et terre, émerveillez-vous,
Que le Seigneur ait choisi telle naissance.
Non pas par la chair et le sang humain,
Par l'Esprit de notre Dieu,
Le Verbe divin s'est ainsi fait chair.
Merveilleuse naissance! Ô enfant miraculeux
De la Vierge immaculée.
Il régnera sur son trône dans les cieux.
Chorale de Jean-Sébastien Bach
« Nun Komm, der Heiden Heiland »

L a saison de l'Avent est une source diversifiée de sustentation et de réjouissances spirituelles. Les cantates de Jean-Sébastien Bach nous sont du plus grand secours, elles émaillent notre voyage intérieur jusqu'à Noël. Bach nous a laissé un héritage inestimable, sinon méconnu, en ce que la majeure partie de sa musique s'inspire de la foi et exprime ainsi une profonde théologie. Il n'est donc pas surprenant que, de tout temps, il ait été désigné « le cinquième évangéliste ».

L'intime et fervente dévotion qu'éprouvait Bach envers le Christ, son Seigneur et son Sauveur, inspira sa musique, notamment sa musique religieuse, dont les cantates, les messes, et les passions. Cette dévotion à l'égard de Notre Seigneur s'accordait à la piété individuelle que promulguait l'Église luthérienne à l'époque de Bach. Les mélomanes ignorent souvent l'origine spirituelle des œuvres de Bach, en dépit de leur appréciation de sa prodigieuse créativité et du plaisir immense que leur procure sa musique. Bach était un merveilleux musicien, mais avant tout, c'était un homme de foi. La foi motivait ses magnifiques compositions. La musique fut le médium par lequel il exprima cette foi chrétienne qui le soutenait et à laquelle il adhéra tout au long de sa vie. De même que les icônes sont telles « une théologie douée de forme », on pourrait décrire les œuvres de Bach comme « une théologie en musique », car à la base la foi façonne sa musique. Au début de chacune de ses compositions, Bach inscrivait les lettres *SDG* : « Soli Dei Gloria » ou « À la seule gloire de Dieu ». Il prit toujours soin d'exprimer par ses écrits et ses compositions musicales sa foi personnelle. Contrairement à bon nombre de compositeurs contemporains, Bach ne voyait pas de dichotomie entre la musique séculaire et la musique sacrée. Sa foi était de nature complètement pratique, elle conciliait tous les aspects de la vie en Dieu, source unique de toute inspiration bienfaisante.

À l'instar de plusieurs autres chrétiens pieux de son temps, Bach avait une grande appréciation de la Bible. Selon Albert Schweitzer, dans une étude des annotations de la Bible ayant appartenu à Bach, il fut un « chrétien qui vivait selon la Bible ». Une note sur les 2 Chroniques 5,13 dit : « N.B. lorsque la musique est jouée avec révérence, Dieu, dans sa gracieuse présence, est toujours tout près. »

J'écoute habituellement les cantates de l'Avent le matin tout en me livrant à quelques tâches manuelles : elles font désormais partie de ma pratique régulière, durant l'Avent, d'année en année. Ces cantates furent principalement composées à Leipzig pendant les nombreuses années où Bach fut chef des chœurs à l'église Saint-Thomas, là où il est aujourd'hui enseveli. Au fil des ans, je puise à ces cantates, que j'écoute encore et encore, bénédictions spirituelles et inspiration à la prière. Elles éveillent instantanément un esprit contemplatif, état qui convient au moine en tout temps, mais tout particulièrement en ces jours de l'Avent. Les cantates de l'Avent exaltent une espérance qui sera comblée dans l'*Oratorio de Noël* de Bach, une œuvre qui est de rigueur durant l'octave de Noël qui se déroule ici et dans nombre d'autres monastères de par le monde.

On a dit de Jean-Sébastien Bach qu'il fut « le plus grand serviteur musical de Dieu depuis le Roi David », car ce que David avait accompli avec les Psaumes, Bach l'a fait avec sa musique. Bach vécut et mourut dans la foi ; jusqu'à la fin, il s'en tint au principe qui avait inspiré sa vie entière : « Le but et la raison fondamentale de toute musique résident uniquement dans la gloire de Dieu et dans le divertissement de l'esprit humain. »

Louez Dieu en son sanctuaire,
louez-le au firmament de sa puissance,
louez-le en ses œuvres de vaillance,
louez-le en toute sa grandeur !
Louez-le par l'éclat du cor,
louez-le par la harpe et la cithare,
louez-le par la danse et le tambour,
louez-le par les cordes et les flûtes,
louez-le par les cymbales sonores,
louez-le par les cymbales triomphantes !
Que tout ce qui respire loue Yahvé ! Alléluia !
Psaume 150

Les Antiennes Ô

Ô Sagesse de la bouche du Très-Haut,
toi qui régis l'univers avec force et douceur,
enseigne-nous le chemin de vérité,
Viens, Seigneur, viens nous sauver!

Antienne du Magnificat
pour le 17 décembre

Dès le 17 décembre s'accentue encore le sentiment d'expectative qui nous habite tout au long de l'Avent. Les Antiennes Ô traduisent parfaitement cet élan vers l'avènement d'un Rédempteur. Ces sept antiennes, que l'on chante solennellement dans tous les monastères chaque soir jusqu'au 23 décembre, pendant les vêpres, sont ainsi désignées parce qu'elles débutent toutes par le vocatif Ô: Ô Sagesse, Ô Adonai, Ô Racine de Jesse, Ô Clef de David, Ô Soleil, Ô Roi de tous les peuples, Ô Emmanuel.

Les Antiennes Ô furent composées et sont chantées dans le second mode de chant grégorien, et suivent la même formule que dans le latin original. Chacune débute par une invocation du Seigneur qui exalte ses attributs, ou titres messianiques, et qui culminera en un appel languissant et en une requête concrète: «Ô viens! et délivre-nous, ne tarde pas davantage dans ton amour.» L'exquise mélodie grégorienne, la même pour les sept antiennes, exprime merveilleusement le sens des textes, leur vaste complexité et leur mouvement.

Dans chaque monastère, on attend avec enthousiasme l'arrivée de cette période de l'Avent lorsque sont exécutées ces merveilleuses Antiennes Ô avec grande révérence et gravité. D'ordinaire, l'abbé ou le père supérieur entonne l'antienne, flanqué de deux moines portant des cierges, comme il est coutume lors des cérémonies très solennelles. L'ensemble des moines se joint ensuite à lui, on encense l'autel et tintent les cloches du monastère en carillons d'allégresse et de louanges tout au long de l'antienne et du Magnificat. C'est là le point culminant de la liturgie des vêpres, une expérience inoubliable pour tous les participants.

Il y a quelques années, grâce à une recherche au bureau monastique sur l'origine archaïque de ces antiennes, je découvris qu'elles étaient déjà connues à Rome, dans la seconde moitié du VIe siècle, lors de l'élaboration de l'Avent en tant que saison liturgique. Il est toutefois plausible qu'elles datent d'une époque antérieure, l'époque du rite gallican qui fut pratiqué dans le sud de la France et dans le nord de l'Espagne. Car l'Avent comme saison liturgique fut créée en France, dite alors Gaule, dans le cadre du rite gallican. Un poème écrit en Gaule vers 750 après J.-C. contient des traces de ces antiennes ; on les retrouve certainement dans l'antiphonaire de saint Corneille de Compiègne, rédigé entre 860 après J.-C. et 880 après J.-C. Le premier recueil de ces antiennes, qui demeure en usage jusqu'à ce jour, provient de l'ancienne abbaye de Saint-Gall en Suisse. Ce manuscrit date de l'an 1000.

Aux derniers jours de l'Avent, à l'approche de Noël, ces antiennes merveilleusement évocatrices, dans les formes les plus pures du chant grégorien, génèrent dans l'âme du moine une atmosphère de sérénité et d'intense quiétude qui ouvre toutes grandes les voies du cœur au silence ainsi qu'aux joies de la prière et de la contemplation. Nous avons la certitude, au fond de nous-mêmes, que vient le Christ. Il est notre Sauveur, et nous désirons avec une ferveur inexprimable sa venue. Lorsque sur le monde tombe la nuit, au milieu de nos chants vespéraux, et que les ténèbres du soir dissipent la clarté du jour, l'espoir emplit notre être qui tend tout entier vers la Lumière qui rayonnera le jour de Noël.

Ô Soleil levant,
splendeur de justice et lumière éternelle,
illumine ceux qui habitent les ténèbres et l'ombre de la mort,
Viens, Seigneur, viens nous sauver !
Antienne Ô pour le 21 décembre

Noël

Comme enfant nouvelet le Dieu d'avant
les siècles à Bethléem naît de la Vierge Marie
dans la crèche des bestiaux. Merveille qui
suscite l'admiration!
      Matines byzantines pour le 24 décembre

C e texte bref, simple, tiré de l'office byzantin, nous
dévoile en termes concrets, le mystère que nous
célébrons le jour de Noël et tout au long de cette saison
liturgique. En premier lieu, le texte affirme, sans évo-
quer le moindre doute, le phénomène de l'Incarnation.
Car cet «enfant nouvelet» est également «le Dieu
d'avant les siècles» et Il est «né d'une vierge». Marie a
donné chair au Verbe et de ce fait, Noël célèbre de façon
unique la Mère de Dieu.

Le texte nous informe également que Jésus, le Fils de
Dieu et de Marie, naquit «à Bethléem» au milieu des
bêtes et «dans une mangeoire». À cette époque, Bethléem n'était qu'un minuscule village oublié, la risée des
nobles de ce monde. Ainsi, dès sa manifestation en
notre monde, Jésus, Fils du Très-Haut, adopte une condition humble et partage le sort des pauvres et des indigents, des délaissés et des indésirables de ce monde. De
simples bergers démunis, gens du pays, furent les premiers à accueillir la bonne nouvelle de la naissance de
notre Sauveur, lorsqu'ils «gardaient leurs troupeaux
durant les veilles de la nuit». (Luc 2,8) L'ange du

Seigneur leur dit : « Soyez sans crainte, car voici que je vous annonce une grande joie, qui sera celle de tout le peuple : aujourd'hui vous est né un Sauveur, qui est le Christ Seigneur, dans la ville de David. Et ceci vous servira de signe : vous trouverez un nouveau-né enveloppé de langes et couché dans une crèche. » (Luc 2,10-12) Les humbles bergers et les animaux furent parmi les premiers, avec Marie et Joseph, à offrir leurs hommages et à adorer le petit enfant couché dans la mangeoire, leur Seigneur et leur Dieu. « Quelle merveille que cela ! » Quel enseignement pour chacun de nous ! Depuis le moment de sa naissance jusqu'à sa mort, Jésus nous indique ses préférences, délibérément et clairement, ainsi que la voie à suivre pour nous ses disciples.

Avec la célébration renouvelée de cette magnifique fête de l'Incarnation, prions pour la grâce de comprendre les admirables leçons que le Seigneur souhaite nous dispenser par l'exemple sacré de sa naissance. Puissent Notre-Dame, saint Joseph et les humbles bergers nous inspirer le courage de suivre fidèlement le Seigneur Jésus

dans son abnégation et dans sa préférence pour les indigents et les humbles, bien que ces valeurs s'opposent
tout à fait à celles du monde, aujourd'hui comme naguère.

Aujourd'hui, le Christ est né ;
aujourd'hui, le Sauveur est apparu ;
aujourd'hui sur la terre exultent les anges et les
archanges,
aujourd'hui chantent les justes,
pleins de joie : Gloire à Dieu au plus haut des cieux,
Alléluia !
Antienne du Magnificat pour le jour de Noël

Solennité de la Mère de Dieu

Sainte Mère de Dieu, sauve-nous!
Prière byzantine

D urant les tout premiers siècles de la chrétienté, les chrétiens rendaient hommage à Marie, mère de Jésus. Les Évangiles citent le rôle prééminent attribué à Marie dans le déploiement du mystère de notre salut. Marie participe depuis le tout début, dès le moment de la conception et de la naissance du Sauveur, et elle est également présente à la fin, au pied de la Croix.

Plusieurs titres sont attribués à Marie au fil des siècles, mais celui donné par l'Église originelle est de loin le plus significatif. Rassemblée en concile solennel à Éphèse en 431, l'Église de Dieu, animée par l'Esprit saint, a proclamé Marie, «celle qui porte Dieu», *theotokos*, c'est-à-dire Mère de Dieu. On déclara la Mère de Dieu partie intégrante du mystère de Jésus-Christ, le mystère inhérent à l'esprit de Dieu avant le début des âges.

Le mystère de la Mère de Dieu, parce qu'il est intrinsèque au mystère du Christ lui-même, revêt aux yeux des fidèles chrétiens une valeur inestimable et sacrée, mais il reste à jamais au-delà de leur compréhension. La plupart des icônes représentent la Mère de Dieu portant l'Enfant Jésus dans ses bras. Cependant que les yeux de Jésus contemplent tendrement sa mère, elle tourne vers nous son regard bienveillant, et vers tous ceux qui approchent le Christ. Elle présente son Fils, à chacun de nous, dans une affirmation silencieuse : « Voyez votre Dieu et votre Sauveur. »

Les Évangiles, tout comme les icônes, dépeignent la Mère de Dieu dans la proximité physique de Jésus, tournée vers lui. Dans le Magnificat, un chant à sa louange, elle se désigne elle-même « l'humble servante de Dieu », révélant ainsi la mesure de son humilité devant l'immensité du mystère de Jésus-Christ. Elle n'est que la simple créature qui l'a porté, lui, le Fils de Dieu. Le miracle formidable qui s'est accompli en elle n'est que le seul fait de Dieu. C'est donc à lui seul, nous dirait Marie, que nous devons vouer toute notre adoration, nos louanges, notre vénération. Et à lui seul appartiennent notre obéissance, et l'attention inconditionnelle de nos cœurs.

Le regard de la foi nous permet de pénétrer le mystère du Christ, et nous découvrons avec bonheur que Marie est à la fois la Mère de Dieu et notre mère. Au pied de la Croix, elle nous a engendrés lorsque Jésus lui dit : « Femme, voici ton fils » (Jean 19,26) Jésus confie Jean, son disciple bien-aimé, aux soins de sa mère, et ce faisant, il nous confie par le fait même à elle. En la personne de Jean, nous devenons tous les enfants de Marie.

La présence de Marie en notre vie est ainsi bien tangible. Elle est notre mère, notre amie, notre secours, notre refuge face au danger, et notre consolation dans l'épreuve. Elle est la direction lumineuse qui éclaire notre voie lorsque nous nous abîmons dans les ténèbres et le désespoir. Sa présence chaleureuse dissipe, tout au long de notre cheminement vers le Royaume de Dieu, le sentiment de solitude. En elle, nous puisons la force et le courage que requiert ce trajet. Nous voyageons, mais jamais seuls, car la Mère de Dieu nous accompagne en tout temps. Dans la quiétude, sans intervention de notre part ni préoccupation excessive quant à notre personne, sa présence réconfortante se fait sentir au moment où s'élève cette antique prière :

> Sous l'abri de ta Miséricorde
> Nous nous réfugions, Sainte Mère de Dieu
> Ne méprise pas nos prières,
> Quand nous sommes dans l'épreuve,
> Mais de tous les dangers
> Délivre-nous toujours,
> Vierge glorieuse, Vierge bienheureuse.
>
> Sub Tuum Praesdium,
> *Prière du IVe siècle*

Une année nouvelle

Tout ce qu'un homme possède qui ne soit pas indispensable à sa vie, il doit l'employer pour faire le bien, en accord avec le commandement du Seigneur qui nous accorde tout ce que nous possédons.

SAINT BASILE LE GRAND

L a fête de saint Basile, le 2 janvier, est l'une des premières fêtes monastiques du Nouvel An. «Notre auguste père, saint Basile» : ainsi saint Benoît le désignait-il affectueusement dans sa sainte Règle. Il l'identifiait en effet comme l'un des pères du monachisme. Saint Benoît vouait une gratitude éternelle à saint Basile et à tous les pères et mères de la tradition monastique originelle, lui qui, à son tour, devait l'enrichir et la commenter à l'intention de générations ultérieures de moines et de moniales occidentaux.

Saint Basile le Grand naquit en Cappadoce vers 330 et y mourut en 379. Il vit le jour dans une remarquable famille, très ancienne, opulente et distinguée, et dont chacun des membres (grands-parents, parents, frères et sœurs) pouvait prétendre à la sainteté. Dans les écoles de Césarée d'Athènes et de Constantinople, il reçut une excellente éducation classique, puis s'installa dans la région de Pont, où il consacra sa vie entière au monachisme de type communal. Il exerça une influence considérable sur l'évolution du mouvement monastique, notamment en Orient, où plusieurs moines et monastères suivent toujours les principes généraux qu'il formula à l'intention de ses disciples. Saint Basile, cet homme charismatique infusé de l'Esprit saint, s'avéra être un excellent moine et en outre, un remarquable évêque et père de l'Église. Ses œuvres et sa sagesse sustentent, à ce jour comme naguère, notre vie spirituelle.

L'arrivée d'une année séculière nouvelle, lorsque amis et famille échangent des vœux mutuels de bonne année, suscite chez le moine une réflexion sur son sens véritable. Il semble souvent que ce souhait, «Bonne année», ne communique que l'idée d'une étape supplémentaire à notre vie qui s'écoule, et ne marque que l'attente d'une année fructueuse sur le plan matériel. Cette attitude reflète une conception extrêmement superficielle de la vie, pareille à une simple succession d'années. Ce point de vue sur la vie et sur l'année qui vient est quelque peu désolant, voire fataliste.

Certaines cartes de souhait mentionnent également le bonheur et la prospérité pour l'année nouvelle. Bien que ces bons vœux nous soient offerts en toute sincérité par nos proches, le moine ne peut s'empêcher de contempler la nature cependant transitoire, évanescente, du bonheur et de la prospérité. Pour le moine, l'entrée dans une nouvelle année n'est pas à prendre à la légère. C'est pour lui une occasion de se pencher sur le mystère du temps, ce qui lui rappelle sa propre mortalité – les années sont fugaces et le temps fuit avec une réelle rapidité, s'évanouissant instantanément dans le mystère de l'éternité. C'est pourquoi le moine emploie inévitablement le début de l'année afin de se souvenir de ces réalités intangibles inhérentes à la vie quotidienne, et que rien ne peut nous dérober, tels la paix, l'espoir, l'amour qui fleurit.

Être en paix avec Dieu, avec soi-même et avec ceux avec qui nous échangeons et vivons, voilà une richesse qui surpasse toute l'opulence du monde. S'ancrer dans l'espoir – cet espoir qui nous permet d'accepter sans gémir notre lot quotidien de bénédictions et de souf-

frances, cet espoir qui dévoile en nous la présence cons-tante d'un Dieu aimant qui veille sur nous et nous accompagne en toute circonstance – voilà une attitude plus réconfortante, satisfaisante et souhaitable que toute cette futile prospérité matérielle.

Avec la venue du Nouvel An, le moine adresse, depuis sa solitude, une prière au Seigneur de l'univers d'accorder à chacun le don de la paix et la bénédiction de l'espoir. Cette prière est illimitée : elle se perpétue tout au long de l'année.

Nul ciel ne viendra à nous
à moins que nos cœurs n'y trouvent dès
maintenant le repos,
Prenez le Ciel !
Nulle paix ne jaillira du futur
qui ne se terre pas déjà dans l'instant présent,
Prenez la Paix !
L'obscurité du monde n'est qu'une ombre
Elle cache la Joie, qui pourtant est à notre portée
Les ténèbres ne seraient que rayonnement et gloire
si la vision nous était donnée
Et pour voir, il n'y a qu'à regarder ;
Je vous en prie : Regardez !

FRÈRE JEAN DE CAPISTRAN

LES JOURS SONT COURTS, LE TEMPS FROID

Bonheur auprès du feu, moments de délices
Envoûtement béni, certain de plaire

JOHN WILMOT

Ici, dans le nord de l'État de New York et en Nouvelle-Angleterre, les hivers sont légendaires par leur froid intense et leur durée prolongée. Notre monastère possède trois poêles à bois, petites oasis de chaleur contre la froidure. L'une des tâches quotidiennes en hiver consiste à s'occuper régulièrement des poêles. Notre journée à cette saison s'écoule en partie à l'extérieur, à s'occuper de rudes travaux, soit la coupe et l'entassement du bois, ou le transport à l'intérieur pour l'approvisionnement quotidien. La propriété attachée à notre monastère contient une réserve suffisante à cet effet. Je n'aime pas à voir abattre nos arbres, mais à sa manière la Providence fait en sorte que, fréquemment, nous trouvions des arbres abattus ou ruinés par une tempête. Et d'autre part, nos boisés sont souvent d'une densité telle que les arbres ont un grand besoin d'émondage. Or, notre propriété monastique foisonne d'une vaste variété d'arbres : bouleau, noyer blanc, sapin du Canada, érable, et bien d'autres. Nous les remercions de nous procurer cette chaleur si nécessaire durant les mois glacés de l'hiver.

L'hiver, le travail à l'extérieur peut parfois me paraître un peu trop rigoureux, il s'avère cependant vital, et en outre, je le trouve stimulant et tonifiant. Et puisqu'en cette saison le potager sommeille, le soin assidu des animaux du monastère et les tâches liées au bois de chauffage fournissent une dose adéquate d'activités physiques pour équilibrer la routine monastique.

Le remplissage et l'entretien des poêles du monastère m'offrent l'occasion de goûter quelques instants de tranquillité, une des petites joies qui font mon délice. Certains jours, lorsque les températures chutent sous zéro, que la neige ensevelit sous plusieurs centimètres les bâtiments du monastère, que de violentes bourrasques sifflent dans la campagne, quel plaisir serein que ce temps passé près des poêles à regarder les flammes s'élever dans les cheminées, à écouter leur crépitement dans le profond silence baigné par le halo réconfortant de leur chaleur. Ces moments furtifs près de l'âtre, le soir, me semblent toujours très reposants et immensément apaisants pour l'esprit. Instants paisibles consacrés à la prière, à la lecture, au silence absolu, ils recèlent une immense quiétude et un délice particulier de l'âme.

Cette réalité mystérieuse, complexe, que représente le feu est pour moi hautement évocatrice, littéralement ou métaphoriquement. À sa façon, le feu suggère un peu des vérités éternelles qui pénètrent la vie du moine. L'apôtre Paul attribue à Dieu la nature d'un feu ardent, une métaphore mystique qui s'énonce déjà dans le cœur du moine. Le feu est l'un des éléments fondamentaux de la nature, et à ceux qui souhaitent la voir, il révèle intensément la qualité ineffable de la présence de Dieu.

Loué sois-tu, mon Seigneur, pour frère Feu,
par qui tu éclaires la nuit,
et il est beau et joyeux et robuste et fort,
                    SAINT FRANÇOIS D'ASSISE,
                        Cantique des Créatures

Épiphanie du Seigneur

Vous tous qui cherchez le doux Christ
Vers les cieux levez les yeux et voyez
Le signe de sa gloire sans fin,
Annonçant sa descente sur terre.
Cette étoile scintillante surpassera
En brillance le soleil dans tout son éclat,
Car elle proclame que Dieu fait homme
Est venu nous bénir et nous sauver tous
Il est le Dieu de toutes les nations
Attendu des Juifs de l'Antiquité
La graine promise d'Abraham
Né de sa race au cours des siècles.
Que toute gloire t'appartienne, Jésus,
Toi qui te révèles maintenant aux nations
Gloire à Dieu le Père
Et à l'Esprit, de toute éternité. Amen.
Prudentius, *Quicumque Christum*
Hymne de l'Épiphanie pour les Laudes

La magnifique fête de l'Épiphanie du Seigneur signe la fin de la jubilante saison de Noël à notre monastère. La fête s'appelait anciennement la Théophanie, et elle était célébrée le jour de Noël même. Au IVe siècle, le pape Jules Ier fit de la fête originelle deux fêtes distinctes. Noël demeura le 25 décembre, et l'Épiphanie fut reportée au 6 janvier, douze jours plus tard.

Le terme *épiphanie* signifie « manifestation », et dans l'Orient chrétien, la fête porte encore le nom de Théophanie : « manifestation de Dieu ». Les contrées méditerranéennes de culture latine l'appelaient communément *Festum Trium Regem*, « Fête des trois rois ». Les gens des pays anglophones disaient le douzième jour de Noël. L'Épiphanie est souvent dite « Fête des Lumières », désignation qui s'inspire du magnifique passage du prophète Isaïe (60,1-3, 19) dont on fait lecture à l'office des Matines et plus tard durant la Messe :

Debout ! Resplendis ! car voici ta lumière,
et sur toi se lève la gloire de Yahvé.
Tandis que les ténèbres s'étendent sur la terre
et l'obscurité sur les peuples,
sur toi se lève Yahvé,
et sa gloire sur toi paraît.
Les nations marcheront à ta lumière
et les rois à ta clarté naissante...
Tu n'auras plus le soleil comme lumière, le jour,
la clarté de la lune ne t'illuminera plus :
Yahvé sera pour toi une lumière éternelle,
et ton Dieu sera ta splendeur.

ISAÏE 60,1-3, 19

Les fêtes de Noël et de l'Épiphanie sanctifient le mystère de l'Incarnation du Christ, Dieu fait homme. Le Christ étant la Lumière du monde, ceux qui célèbrent ces fêtes apprécient tout spécialement cette fertile symbolique de la lumière, notamment au creux de nos interminables et sombres journées d'hiver. La dernière antienne des premières vêpres de la solennité proclame en un chant grégorien éloquent : « Brillante comme un feu, l'étoile désignait le Roi des rois ; les mages l'ont vue : à ce roi, ils offrent leurs présents. »

Il existe plusieurs coutumes, de pays en pays et de monastère en monastère, associées à la fête de l'Épiphanie. Une très belle coutume ancienne qui est encore mise en valeur de nos jours dans plusieurs monastères est l'annonce solennelle, faite durant la messe, des dates des jours fériés de l'année qui vient de commencer : le Mercredi des cendres, Pâques, l'Ascension, la Pentecôte, puis, le premier dimanche de l'Avent. On fait alors l'annonce suivante :

« Comme nous nous sommes récemment réjouis de la naissance de Notre Seigneur Jésus-Christ, maintenant, par la grâce de Dieu, nous pouvons imaginer la joie qui sera nôtre au moment de la Résurrection de ce même Seigneur et Sauveur. » L'Épiphanie marque pour nous, au monastère, l'apogée des festivités entourant Noël. L'année semble ensuite s'écouler tout lentement, avec le passage normal de l'hiver, et la froidure des mois nous isole encore plus complètement dans notre solitude monacale. L'avenir rapproché nous réserve avec le carême/printemps la promesse secrète de l'allégresse pascale.

> Ô Christ, tu rayonnes d'une lumière transcendante
> Et nul ne peut dire la douceur et la beauté de ta grâce.
> Que tes humbles serviteurs y trouvent
> leur joie éternelle;
> Tu les as appelés, accorde-leur le repos
> Ô par ton amour pour l'humanité.
>
> SAINT JEAN DAMASCÈNE

Saint Antoine
le Grand
Père des moines

Son visage même avait une grande et admirable grâce. Le Sauveur lui avait fait encore cette faveur: Quand il était parmi la multitude des moines, si quelqu'un voulait le voir, qui ne le connaissait pas auparavant, il laissait toutes les autres activités à l'arrivée d'Antoine et courait vers lui, comme attiré par ses yeux. Antoine ne se distinguait pas des autres par la grandeur ou la grosseur, mais par l'ordonnance des mœurs et la pureté de l'âme.

SAINT ATHANASE, *Vie d'Antoine*

L a fête de saint Antoine se situe le 17 janvier, en plein cœur de notre longue solitude hivernale. Voilà qui est tout à fait juste, car saint Antoine, le premier moine, le Père des moines, était un ermite et un amoureux de la vie solitaire au désert.

Saint Antoine vécut en Égypte entre 251 et 356. À l'âge de dix-huit ans, il entendit à l'église un texte de l'Évangile de Luc (18,22): «Tout ce que tu as, vends-le et distribue-le aux pauvres, et tu auras un trésor dans les cieux; puis viens, suis-moi.» Lorsqu'il entendit ces paroles, Antoine, touché par la grâce, en fut ému au point de renoncer immédiatement à tout, et de se retirer en un lieu reculé du désert égyptien. Dans la solitude du désert, Antoine s'efforça de centrer sa vie entière sur Dieu, ceci par la prière continue, par la méditation sur la Parole de Dieu, par le travail manuel, la discipline et l'ascèse. À un âge avancé, il transmit à ses disciples la sagesse et les incita à demeurer à jamais fidèles à Dieu et ce, jusqu'au terme de l'existence monastique qu'ils avaient choisie. Saint Athanase, un éminent père de l'Église et défenseur de la foi qui connut personnellement Saint Antoine, rédigea sa biographie. La vaste influence qu'eut la vie de saint Antoine en Orient et en Occident lui a mérité à juste titre la désignation de «Père des moines», car son exemple contribua à la diffusion de l'idéal monastique durant les premiers siècles de l'ère chrétienne.

Notre modeste chapelle possède, juste à côté du poêle à bois, une icône de saint Antoine. Lors des jours de fête, on allume une petite lampe à huile devant celle-ci durant les offices. Quelque chose dans cette icône me parle de la transformation par la grâce d'Antoine l'homme en saint Antoine le moine. Sa présence parmi nous rayonne d'une sereine noblesse et d'une lumière intérieure, elle semble porteuse de la vérité de ses paroles: «Maintenant je ne crains plus Dieu: je l'aime: car l'amour chasse la crainte.» (Saint Antoine, Apophtegme 32) Cet amour de Dieu, que l'humble moine Antoine porta à des degrés sublimes, est encore et toujours l'unique motif à la vie monastique chrétienne.

Respirez toujours le Christ et croyez en lui.
Ultime recommandation
de saint Antoine à ses disciples

La Chandeleur:

fête des lumières

Décore ta chambre nuptiale, Ô Sion!
Et reçois le Christ Roi:
Qu'une vierge a conçu,
Qu'une vierge a mis au monde;
Vierge après l'enfantement
Elle a adoré celui qui est né d'elle.
Syméon prenant l'enfant entre ses bras,
Bénit le Seigneur avec actions de grâce.
ADORNA THALAMUN TUUM, SION,
Antienne pour la procession de la fête

Quarante jours après la solennité de Noël, le 2 février, les Églises d'Orient et d'Occident célèbrent la splendide fête de la Présentation du Seigneur au Temple. Elle clôt le cycle festif débutant à l'Avent et qui culmine à Noël et à l'Épiphanie. À l'instar de maintes fêtes liturgiques occidentales, cette solennité archaïque naquit dans l'Orient chrétien, où elle portait un nom grec, *hypapante*, qui signifie « rencontre » ou « événement ». La loi de Moïse exigeait que, quarante jours après la naissance d'un enfant mâle, la mère présentât son fils au temple et qu'elle offrit en sacrifice un agneau ou deux tourterelles. Ce sacrifice était censé purifier la mère après l'accouchement (en Occident, cette fête était parfois appelée « la Purification de Marie »). La tradition juive affirmait également que tous les premiers-nés, humains ou animaux, devaient être consacrés à Dieu par un rite spécial. Marie et Joseph avaient la réputation de toujours se conformer aux préceptes de la loi juive. C'est ainsi qu'au jour dit, ils menèrent l'enfant Jésus au Temple où Syméon l'Ancien et la vertueuse prophétesse Anne (Luc 2,22-38) le reçurent, le bénirent et l'embrassèrent. En ce nourrisson, ils reconnurent le Sauveur jadis promis à Israël par Dieu. Lors de leur première rencontre avec le Sauveur incarné, leur joie irrépressible s'élève en chants de grâce et de louange. Le sens de cette rencontre entre l'ancien et le nouveau-né sans défense s'exprime en termes profondément tendres, sublimes, dans les textes byzantins destinés à l'office pour l'occasion :

> Dis-nous, Syméon, qui portes-tu dans tes bras pour être si joyeux dans le temple ? À qui adresses-tu en criant : Puissé-je être délivré maintenant que j'ai vu mon Sauveur ! C'est celui qui est né d'une Vierge, c'est le Dieu, le Verbe de Dieu qui pour nous s'est incarné et sauve l'humanité. Prosternons-nous devant lui.
>
> Office des grandes vêpres

De par les siècles, moines et moniales ont chéri cette exquise et émouvante fête du Seigneur, pénétrée de mystère, d'humilité et de tendresse ; la plupart des monastères la célèbrent avec majesté. Une procession de moines accompagnée d'hymnes, d'antiennes et de bougies, traverse d'abord le cloître en direction de l'église afin de célébrer la messe. Dans les monastères, les processions sont des rites importants et fréquents, car elles soulignent dignement et avec souvenance l'esprit des célébrations liturgiques monacales. La majesté et le décorum d'une procession de moines me semblent pertinents à la présente fête. La procession devient pareille à un cortège où les moines, avec Marie et Joseph, accompagnent le Seigneur lorsqu'il pénètre le Temple en vue d'être offert à son Père. Nous portons tous, sur le passage du lent défilé des moines, des bougies illuminées et fraîchement bénites au début du rite.

Cette fête se nomme communément la Chandeleur, car les bougies jouent un rôle prédominant dans la liturgie du jour. Le thème de la lumière – inspiré des éloquentes paroles de Syméon qui appelle l'Enfant Jésus « la lumière qui éclairera les nations » déteint sur l'ensemble de la Liturgie pour cette fête. Remettant les bougies bénites entre nos mains, l'Église affirme une fois encore la vérité énoncée par Syméon selon laquelle Jésus est la véritable lumière du monde. Nous recevons symboliquement le Christ entre nos mains et dans nos bras, de même que le reçurent naguère saint Syméon et sainte Anne.

Pour ceux qui suivent la voie monastique, la prépondérance des bougies dans la Liturgie du jour est à mon avis cruciale, car celles-ci évoquent à merveille la vie pieuse dans les monastères : les quatre bougies de la couronne de l'Avent, la bougie de Noël que l'on allume le jour de Noël, et celle de Pâques qui reste allumée tout au long de la saison pascale. Il y a encore les bougies de tous les jours, employées durant l'Eucharistie et les offices monastiques, la bougie qui accompagne l'Eucharistie portée au chevet d'un moine malade dans sa cellule, et les bougies et lampes à huile offertes aux icônes, et leur incandescence signifie notre humble hommage et la requête silencieuse de nos prières adressées au Seigneur, à sa sainte Mère, et aux saints, amis de Dieu. Ces lueurs vacillantes, et pourtant constantes, des bougies dans notre chapelle chuchotent à notre oreille toutes ces réalités intangibles que recherche le moine et dont il aperçoit furtivement le reflet pendant ses longues heures de prière. L'atmosphère réconfortante, éthérée de leur lumière confirme la réalité d'une présence mystérieuse, une présence perçue uniquement avec les yeux de la foi. Les bougies sont à leur façon messagères de celui qui est mystère et qui est l'Invisible.

> Dieu créa le monde et lui conféra la nuit et le jour. Nous discernons l'obscurité et la lumière, mais le Christ est la seule véritable Lumière. Il est venu offrir au monde cette lumière afin que nous ayons la foi... et Il commanda que notre lumière, celle de Noël, brille devant les hommes.
>
> MÈRE THEKLA, *Expressions of Faith*

Sainte Scholastique
Mère des moniales

Que de la gloire de Scholastique, vierge charmante,
se réjouisse le peuple chrétien;
Et plus encore, que le chœur des vierges et des nonnes
célèbre dans la joie la fête de celle qui,
Versant des flots de larmes, enjoignit le Seigneur;
Et par son amour sublime
obtint de lui un pouvoir au-delà de tout.
Antienne du Magnificat pour la Célébration

À la mi-février, lorsque l'on frissonne encore et que l'hiver nous laisse parfois entrevoir quelques relents printaniers, nous célébrons, le 10, la fête de sainte Scholastique, cette sainte d'un tempérament si effacé et monastique. Je la dis « effacée », car on connaît peu de choses à son sujet, et ce que nous en savons nous est parvenu de façon indirecte par la biographie de son frère célèbre, saint Benoît, composée par le pape Grégoire le Grand. Bien que son portrait ne soit en vérité qu'une brève esquisse, le pape Grégoire la décrit comme une sainte chaleureuse, charmante, qui fit des œuvres de l'amour et de la prière la stratégie déterminante de sa vie.

Tout comme son frère jumeau saint Benoît, Scholastique reçut de Dieu en bas âge, l'appel à la vie monastique. À l'exemple de son saint frère, elle se joignit à un monastère de moniales, près du mont Cassin où saint

Benoît était supérieur d'un monastère de moines. Elle avait, une fois par année, la permission de rencontrer son frère; ils profitaient de cette occasion pour discuter de questions familiales, mais également pour échanger sur Dieu et sur leur vie spirituelle.

Une anecdote intéressante se produisit lors de l'une de ces visites familiales. Après quelques heures passées auprès de sa sœur, alors que le soir tombait, saint Benoît s'apprêtait à rentrer à son monastère: ainsi l'exigeait la règle. Scholastique le supplia vivement de demeurer avec elle encore un peu. Surpris et déconcerté, Benoît refusa de se plier à la requête de sa sœur, et lui rappela leur vœu d'obéissance à la Règle et à la tradition monastique. Voyant que sa requête était en vain, Scholastique enfouit son visage dans ses mains et se mit à prier, les yeux remplis de larmes. Un violent orage éclata instantanément, déversant une pluie torrentielle qui empêcha saint Benoît de rentrer à son monastère. Devant ce revirement, Scholastique cessa de prier et regarda son frère en souriant: «Va maintenant, frère. Rentre à ton monastère et laisse-moi si tu le peux.» Benoît comprit ce qui s'était passé, il réprimanda tendrement sa sœur: «Puisse Dieu te pardonner, ma sœur. Qu'as-tu fait?» Avec sa simplicité habituelle, Scholastique répondit: «Je t'ai supplié de rester, et tu n'as pas voulu m'écouter, alors j'ai eu recours à mon Seigneur en prière, et Il m'a entendue.» S'inclinant devant la volonté divine, Benoît accéda à la requête de sa sœur et demeura jusqu'au matin, partageant avec elle les joies divines. Un commentaire de Grégoire sur cette anecdote affirme au sujet de la sainte: «Elle avait un pouvoir plus vaste devant le Seigneur, car son amour était plus vaste.»

Subséquemment, le frère et la sœur ne devaient jamais se revoir, car Scholastique mourut trois jours plus tard. Un présage annonçant sa mort lui était déjà apparu, mais elle avait préféré ne pas en informer son frère. En apprenant sa mort, Benoît donna ordre à ses moines de l'ensevelir dans la tombe prévue pour lui au monastère. Ainsi fut-il fait en signe que ni la vie ni la mort ne pourrait jamais les séparer.

Saint Benoît est connu comme le Père des moines en Occident, et de même, nous pouvons affirmer sans équivoque que sainte Scholastique est la bien-aimée Mère des moniales. Il est bien connu que depuis l'aube du monachisme au désert, des femmes intrépides renoncèrent aux préoccupations de ce monde afin de suivre le Christ dans la voie religieuse. Elles contribuèrent considérablement au mouvement monastique dès sa naissance. L'auteur Pallade nous informe que, durant les années initiales au désert, déjà douze monastères pour femmes étaient établis dans la région de Thèbes, en Égypte. Les œuvres initiales issues de la tradition monastique citent les noms de ces femmes éminentes et courageuses, telles les deux Mélanie, Macrina, Alexandra, Thais, Synclétique, Euphrasia, Marie l'Égyptienne, Euphrosine, Paula et Eustochia, ainsi que plusieurs autres moniales qui, non seulement égalèrent en ferveur leurs frères moines, mais les surpassèrent souvent de par leurs vies meilleures et plus vertueuses. Bien qu'ils aient appartenu à une époque révolue et que leur point de vue ait été plutôt limité, les premiers moines concédèrent des qualités exceptionnelles à ces moniales. Quelques moines rédigèrent leurs biographies, Marie l'Égyptienne, par exemple, en vue de l'édification des futures générations

de moines. Certains de ces auteurs en vinrent à reconnaître que c'était plutôt aux moines qu'il revenait d'imiter
l'attitude de sainteté et le zèle des premières moniales.

Pour nous [les femmes], la vie monastique n'est pas
essentiellement un combat. Elle est plutôt une voie
d'amour et de foi. Car seul un amour joyeux pourra
tourner nos sens vers l'esprit ; c'est ainsi que les
femmes, qui aiment beaucoup et intensément,
pourront se réaliser pleinement dans la vie monastique qu'elles ont toujours souhaitée, et dans
laquelle elle s'absorberont entièrement.

MÈRE MARIA, *Sceptum Regale*

Le printemps

Aux sources de la vie monastique

LE MOINE

Le moine est séparé de tous,
et cependant il est uni à tous.
ÉVAGRE LE PONTIQUE,
moine du IVe siècle, *Practikos*

Le moine prêche la tendresse de Dieu,
et la vit, en témoignage de l'éternel.
MÈRE MARIA, *Her Life in Letters*

L e terme *moine* vient du grec *monachos*, « solitaire », et réfère à celui qui opte pour une vie en
solitaire, unifiée, intégrée, pacifiée et sans compromis
dans la quête de l'Absolu. Le moine renonce au
monde, à ses attraits et à ses plaisirs, par amour pour
Dieu, et sacrifie les liens qui l'attachaient jusque-là.
Cette renonciation est difficile, douloureuse ; après
tout, les moines et les moniales sont doués des mêmes
sentiments, de la même sensibilité que le reste de
l'humanité.

Ils diffèrent simplement en le fait qu'ils ont entendu,
en leur cœur, un appel, une invitation : « Viens. Je suis
la Voie, la Vérité et la Vie. Suis-moi. » Celui ou celle qui
décide d'adopter la vie monastique et d'entrer dans la
solitude d'un monastère ou d'un ermitage, le fait sous
l'impulsion de l'appel, un appel surpassant en puissance
tout autre signe, un appel à la communion et à la plénitude

d'une vie en Dieu, un appel capable d'assouvir les désirs les plus secrets du cœur humain.

La fatigue. Que le moine se fatigue pour tout travail. Voilà ce qu'est le moine.

ABBA JEAN COLOBOS,
Les apophtegmes des Pères du désert

La vie monastique : un mystère

Le fait de prendre conscience du mystère d'une vocation monastique, et d'y être confronté, est une expérience profonde. Et de pouvoir mener une existence monastique est un don rare que bien peu méritent.

THOMAS MERTON,
Qui cherches-tu ? Vocation et spiritualité monastique

Comme toute forme de vie, la vie monastique demeure essentiellement un mystère. Chacun en ce monde est invité par Dieu à une forme d'existence particulière, et la vie monastique constitue précisément une réponse à un appel. L'appel que ressent le moine demande de renoncer à tout, ainsi que le Christ nous invite à le faire dans l'Évangile, et de chercher Dieu dans le silence et la solitude. De par les siècles, l'existence monacale revenait essentiellement à l'expérience du désert. Dès les premiers siècles de la chrétienté, l'Esprit saint a mené au désert certains hommes et certaines femmes, là où sa voix leur serait clairement audible et là où il pourrait murmurer à leur cœur. Au désert, le Seigneur incite le moine à la componction et au repentir sincère, à la prière constante et à l'adoration, au silence volontaire, à l'humble tâche de la conversion du cœur, ce qui mènera de façon ultime le moine à la transfiguration de son être grâce au pouvoir de l'amour de Dieu.

La vie monastique reste fréquemment incomprise non seulement par la société laïque, mais également par nos frères chrétiens. L'insistance sur l'abnégation, sur la solitude, sur l'entière consécration à la prière, porte à considérer la vie monastique comme une forme de vie négative. D'aucuns estiment que les moines et moniales sont d'étranges personnes qui fuient la compagnie des hommes et qui se délestent de leurs responsabilités vis-à-vis de la société pour une raison mystérieuse. Pourtant, la réalité se situe exactement à l'opposé. Les moines et moniales, ainsi que ceux qui viennent sporadiquement partager leur vie au monastère, savent que la prière ouvre totalement leur cœur à Dieu, et aux besoins de leurs frères humains. S'ils ont choisi de suivre la voie de l'abnégation, c'est qu'ils ont tout simplement entendu l'invitation du Christ. Bien qu'ils se retirent au désert de la vie monastique pour se livrer à une prière perpétuelle, les moines et moniales ont à cœur les préoccupations de l'humanité entière. La prière étend les dimensions du cœur humain, qui pourra désormais englober Dieu et l'ensemble de la famille humaine. La prière monastique que parachève la grâce dévoile au moine et à la moniale la présence du Christ en chaque être humain.

Nous présumons passer notre vie entière de moines à pénétrer toujours plus à fond le mystère de notre vocation monastique : notre vie cachée avec le Christ en Dieu. Le moine authentique redécouvre encore et encore le sens de ce qu'est être moine, et pourtant nous n'épuiserons jamais la pleine signification de notre vocation.

THOMAS MERTON,
Qui cherches-tu? Vocation et spiritualité monastique

LE MONACHISME:
UN DON DE L'ORIENT

*Il y avait donc dans la montagne comme des tentes
remplies de chœurs divins d'hommes chantant
des psaumes, étudiant, jeûnant, priant, exultant
dans l'espérance des biens futurs et travaillant
pour faire l'aumône. Parmi eux régnaient
l'amour mutuel et la concorde. On pouvait
vraiment voir comme une région à part de piété
et de justice.*

Saint Athanase, *Vie d'Antoine*

Saint Athanase décrit l'existence que menaient les premiers moines dans le désert égyptien, cependant, les véritables origines de la vie monastique se trouvent dans les Évangiles, dans les enseignements et l'exemple de Jésus lui-même, et dans le personnage prophétique de Jean Baptiste, dont la voix puissante emplissait le désert : « Préparez la venue du Seigneur ! » Les années initiales du christianisme virent fleurir l'idéal monastique : dès lors, cet idéal s'assimila intégralement à l'Église. Depuis les tout débuts, il y eut des chrétiens qui répondirent à l'invitation du Christ à renoncer à tout ce qu'ils possédaient pour le suivre. Depuis l'instant où le Christ a d'abord énoncé son invitation, les temps ont évolué sans cesse, et pourtant il y a toujours eu des élus pour l'entendre, pour reconnaître sa voix en leur cœur et pour éprouver le besoin incoercible de tout abandonner pour le suivre.

Depuis l'époque de saint Antoine, plusieurs ont ressenti cet appel vers un lieu mystérieux, le désert, « la terre désolée », qui symbolise et permet à la fois le renoncement absolu, là où se livre la bataille contre les forces du mal et s'accomplit, avec un cœur immaculé, la quête de Dieu. Pour tout moine, qu'il mène une vie cénobitique ou érémitique (en communauté ou en reclus, respectivement), le désert représente un modèle de vocation monastique : une généreuse abstention du mal et de tout ce qui n'est pas Dieu ; l'extinction de l'individualisme donnant lieu à l'émergence de l'être véritable ; une soif ardente, une aspiration vivante pour Dieu ; la parfaite fidélité aux plus infimes préceptes de l'Évangile pour qu'enfin se transforme leur vie par le pouvoir de l'amour de Dieu et afin qu'ils soient transfigurés à son image.

Tout comme l'Église elle-même, le monachisme chrétien vit le jour en Orient. Il est important de garder ce fait à l'esprit afin de comprendre l'existence

monastique et d'observer son prolongement jusqu'à nos jours. Dès l'origine de l'Église chrétienne, des ascètes et des vierges se vouèrent, tout en maintenant leur vie familiale, à une forme plus rigoureuse de pratique chrétienne, passant de longues heures en prière, s'adonnant au jeûne, se consacrant aux indigents, aux malades, aux orphelins et aux veuves. Au IIIe siècle apparurent en Égypte les premières formes structurées d'existence monastique. Inspirés par l'exemple d'Antoine, nombre de chrétiens s'établirent dans le désert, avides des enseignements de celui qui devint dès lors leur père spirituel. Lorsque s'éteignit Antoine, des colonies de moines et de moniales s'étaient implantées dans l'étendue désertique près du Nil et sur ses berges, en quête de Dieu suivant le sillage de l'humble père des moines.

Avec l'accroissement des populations monastiques au désert se fit sentir le besoin d'une structure plus élaborée. Les anachorètes du désert se livraient parfois à des pratiques extrêmes, pénitence et autres pratiques ascétiques. Et ces excès les détournèrent de l'objectif véritable de l'existence monastique.

À l'instant précis où le besoin se manifesta de rétablir l'équilibre, le Seigneur manda un modeste soldat à Tabennisi, un village du désert sur la rive est du Nil, avec pour mission de réorganiser la vie monastique au désert. Celui-ci donna à l'existence érémitique une forme communautaire où les frères pourraient vivre libres des angoisses, des dangers qui sévissent dans les régions sauvages. Pacôme, le soldat, créa les premiers monastères du désert en érigeant un mur autour des cellules ou des huttes des moines auparavant éparses. Ainsi s'établit autour d'eux une protection, et entre eux, un lien. Un abbé agissait comme dirigeant et mentor spirituel de la communauté, et une fois par semaine, les moines s'assemblaient pour recevoir des enseignements et pratiquer le culte du dimanche. Les disciples de Pacôme se conformaient à une règle commune, portaient le même habit, assistaient aux mêmes offices, partageaient leurs tâches et leurs repas. La discipline et l'ordre qu'institua Pacôme dans ses monastères permit aux moines d'adopter un rythme de vie affranchi des préoccupations centrées sur soi et en accord avec l'œuvre de Dieu en leur âme.

Au moment où Pacôme fondait ses monastères, Marie, sa sœur, organisait une communauté de moniales dans un monastère non loin de celui des moines. Les femmes furent présentes au sein de la vie monastique dès son avènement au désert. Dans leur ardente détermination à suivre le Christ, ces intrépides femmes ascètes rivalisèrent avec les moines, et par leur fidélité et leur ferveur, elles surpassèrent fréquemment leurs frères.

L'austère existence des moines et moniales dans le désert égyptien s'attira une admiration telle de la part de leurs confrères chrétiens, que ce style de vie se propagea, dès les IVe et Ve siècles, à la Palestine, à la Syrie, à l'Arménie, à la Perse, à la Cappadoce, à la Gaule, à l'Espagne et à l'Italie. Vers la fin du IVe siècle apparut à l'horizon chrétien un autre des personnages prépondérants de l'histoire du monachisme : Basile le Grand, un Grec doué d'une excellente éducation et que les empereurs, les évêques et la laïcité érudite tenaient en grande estime. Basile contribua au mouvement monastique naissant par l'apport de solides fondements théologiques à l'existence communautaire. Saint Basile dota son monastère d'une législation, les Grandes Règles et les Petites Règles, qui tempéraient certaines des pratiques ascétiques égyptiennes. De ce fait, les chrétiens de tendance plus modérée furent davantage enclins à emprunter la voie monastique. Basile concevait que la communauté monastique fondée sur le modèle des premiers chrétiens (tel que décrit dans les Actes des Apôtres 4,32) offrait l'unique contexte où puisse se réaliser l'idéal chrétien véritable. Selon saint Basile, la vie communautaire permettait aux moines d'exercer la charité fraternelle, et répondait ainsi au commandement du Seigneur de nous aimer les uns les autres. La Règle de saint Basile est considérée comme une synthèse du meilleur de la tradition monastique, et son influence couronna l'Occident et l'Orient chrétiens. Plusieurs monastères se fondèrent sur une traduction latine de la Règle de saint Basile ramenée plus tôt en Occident. Trois personnages insignes furent également responsables de la diffusion de l'idéal monastique à l'Occident : saint Martin de Tours, saint Jean Cassien et saint Augustin. Ils instaurèrent des centres monastiques à l'Ouest où s'épanouit la vie communautaire ainsi que la quête individuelle de la perfection.

Ces derniers furent, avec saint Basile, les honorables prédécesseurs de saint Benoît, l'héritier des traditions monastiques orientale et occidentale. Saint Benoît fonda son monastère en 529, à cent soixante kilomètres au sud de Rome, au mont Cassin, et sa Règle, qui s'inspire fortement de celle de saint Basile, s'avère la plus efficace des synthèses entre les traditions monastiques de l'Orient et de l'Occident, une synthèse léguée intégralement au cours de quinze siècles et jusqu'à ce jour.

Saint Benoît voyait la communauté monastique comme « une école au service du Seigneur » où les moines œuvrent à l'unisson en vue d'atteindre leur salut et la sanctification. Selon saint Benoît, le moine entre au monastère avec pour seul but « la quête de Dieu », et le soutien mutuel et l'exemple de ses frères, dont la présence au monastère est similairement motivée, sustentent la poursuite de cet idéal. Empreinte de bon sens et d'une grande sagesse, la Règle de saint Benoît adapte avec pragmatisme le modèle oriental aux exigences, aux us et à la culture de l'Occident. Cet ajustement permit une consolidation de sa communauté et en fit une icône vivante de ce que devrait être l'Église du Christ. Ce modèle de communauté monastique parfaite fut pour saint Benoît une réalité dotée d'implications éternelles.

La flexibilité de l'idéal du désert, son adaptabilité à différentes circonstances et à divers modes de vie sont là ses principales vertus.

DOUGLAS BURTON-CHRISTIE,
The Word in the Desert

SUR LES TRACES
DU CHRIST

Jésus lui déclara: «Si tu veux être parfait, va,
vends ce que tu possèdes et donne-le aux
pauvres, et tu auras un trésor dans les cieux;
puis viens, suis-moi.»

MATTHIEU 19,21

C es paroles de l'Évangile subjuguèrent le cœur de
saint Antoine et, du coup, transformèrent sa vie à
jamais. L'invitation de Jésus à le suivre au désert de la vie
monastique est encore valable à notre époque. Le
moine, touché par la grâce et conquis par l'amour du
Christ, se détourne peu à peu des préoccupations mondaines et voue tout son être à suivre le Seigneur.

Retraçant exclusivement le sillage du Christ, l'existence monastique est vécue dans la simplicité, l'humilité,
la frugalité, en accord avec l'Évangile. Le moine souhaite
côtoyer le Christ dans la pauvreté et mener une vie
solidaire de ceux par qui il se révèle : les indigents, les
opprimés, les déshérités de ce monde. Cette identification
aux pauvres s'exprime concrètement dans le quotidien du
moine, ainsi que dans son modeste travail manuel. Par
amour pour le Christ, il accepte avec joie un régime ali-
mentaire ponctué de périodes de jeûne ou d'abstinence de
viande, pleinement conscient que l'affluence et le gaspillage de notre société sont souvent cause de la misère et

de l'exploitation d'un grand nombre de peuples. Lorsqu'il le peut, le moine apporte une aide personnelle à ceux qui en ont besoin. Pour tous les moines, l'esprit des Béatitudes demeure à jamais leur parangon.

Saint Benoît estime que l'obéissance est la manière suprême d'imiter et de suivre le Christ. L'épître aux Hébreux 5,8-9 nous apprend que Jésus, « tout Fils qu'il était, apprit, de ce qu'il souffrit, l'obéissance ; après avoir été rendu parfait, il est devenu pour tous ceux qui lui obéissent principe de salut éternel ». Par amour pour le Christ, le moine se soumet délibérément à la volonté d'une autre personne – le père supérieur, selon la Règle de saint Benoît – et sacrifie sa propre initiative, ses désirs personnels, afin de se conformer plus parfaitement à l'exemple de son Seigneur et Maître. Le moine est incité à obéir au père supérieur, cependant saint Benoît pousse plus loin l'exigence et conseille aux moines une obéissance mutuelle, empruntant ainsi la voie du Christ : « Cette bonne chose qu'est l'obéissance n'est pas due seulement par tous à l'abbé, mais les frères s'obéiront aussi les uns aux autres, sachant que c'est par cette voie de l'obéissance qu'ils iront à Dieu. » (Règle de saint Benoît, chapitre 71)

Le moine entend l'incitation du Seigneur à perdre sa vie pour la gagner, et dans l'expérience de ce paradoxe, se réalise mystérieusement l'accomplissement ultime.

Seul le mystère du Christ est susceptible d'éclairer les vastes desseins de l'existence monastique. Le Christ est au centre de la vie monacale ; il en est la source et la destination. Il est le chemin du moine et son aboutissement.

THOMAS MERTON,
Qui cherches-tu? Vocation et spiritualité monastique

L'Évangile

*Voyez avec quelle tendresse le Seigneur nous
indique la route de la vie! Sanglés du ceinturon
de la foi et de la pratique des bonnes actions,
sous la conduite de l'Évangile, suivons donc ses
chemins pour obtenir de voir dans son royaume
celui qui nous a appelés.*

Règle de saint Benoît, Prologue

La vie du moine consiste principalement à imiter le
Christ, et en conséquence, les éléments maîtres de
sa journée sont la lecture attentive, l'écoute et l'étude
de l'Évangile. Le moine cherche à moduler sa vie sur
les enseignements de Jésus, et tente d'appliquer avec
intégrité et parfaite fidélité le moindre précepte de
l'Évangile, afin d'atteindre à cette connaissance com-
plète de la révélation de Dieu en Jésus-Christ. Le moine
peut grandir dans « l'expérience vivante » de celui qui se
révèle aux humbles, aux indigents, aux inférieurs, à tous
ceux que la vie diminue.

Saint Benoît incite le moine à emprunter le chemin de
l'Évangile – il est d'avis que le monastère est « une école au
service du Seigneur », où moines et moniales s'assemblent
pour y vivre en accord avec les enseignements de l'Évangile. Dans l'esprit de saint Benoît, il est de toute première
importance de connaître le Christ à travers sa Parole et de
s'identifier totalement à lui. Moines et moniales doivent
également, à son avis, consacrer quotidiennement plusieurs

heures à la lectio divina, la lecture et la méditation des Saintes Écritures, et plus spécifiquement de l'Évangile. Lorsqu'il s'adonne fidèlement à cette pratique, le moine amène tout son être, avec ses pouvoirs et ses facultés, à une rencontre avec la Parole de Dieu révélée, rencontre porteuse de vie. À ce stade, illuminé par l'Esprit saint, il s'abreuve à la connaissance de Dieu.

La lecture, l'étude et la contemplation recueillie de la Parole de Dieu forment un geste unanime qu'accomplissent simultanément Dieu et le moine : Dieu parle et le moine écoute. Dans cet échange s'achève l'œuvre de l'Esprit saint.

Exerce-toi à jeûner plus tard ; médite l'Évangile et les autres Écritures ; et si une pensée étrangère monte en toi, ne regarde jamais vers elle, mais toujours vers en haut, et aussitôt le Seigneur te viendra en secours.

ABBA MACAIRE,
Les apophtegmes des Pères du désert

La tradition monastique

*La tradition est l'instrument d'une parfaite
communion, dans les formes et dans l'esprit,
de par les siècles et au-delà des frontières.*
ÉVÊQUE ANTONIE PLOIESTEANUL,
*Liberty and Tradition in
Orthodox Monasticism*

L a tradition monastique vivante se situe en ce fertile
héritage du passé commun aux moines et moniales
qu'ils assimilent à leur vie présente et qu'ils transmet-
tront aux générations futures. La tradition est la sève de
la vie monastique. En son absence, le mystère de cette
vie restera incompréhensible.

La tradition monastique détermine une réalité
objective : elle valide par le fait même toute existence
monastique. Notre vie prend forme, pour ainsi dire, en une
tradition vivante, elle en est indissociable, et c'est pourquoi
les moines parlent de tradition avec une infinie révérence.
La tradition vivante est le flot ininterrompu de vie qui
émane des Saintes Écritures, notamment des Évangiles, des
enseignements des apôtres, de l'exemple des premiers moines et moniales du désert, de la continuité de l'existence
monastique au fil des siècles, avec ses hauts et ses bas. La tradition est à la fois la perpétuation de nos racines et le lien
direct avec elles. La tradition est la dynamique interne du
Saint-Esprit qui maintient la vie monastique, tout comme
l'Église, « si ancienne, et pourtant à jamais nouvelle ».

Cependant, comme nous le rappelle fréquemment l'érudit dom Jean Leclercq, il y a la Tradition, et d'autre part, les traditions. À l'heure actuelle, elles sont toutes deux mal comprises, et il est pourtant vital de ne pas les confondre. Nous estimons la tradition monastique fondée sur la Parole de Dieu, sur l'exemple de Jésus, et sur l'héritage que reçurent les premiers moines et moniales des apôtres et des chrétiens de l'aube du christianisme. Messagère de vertus évangéliques immortelles, la Tradition possède pour nous valeur d'éternité. Certaines de ces vertus – telles la foi, la prière, la conversion, l'humilité, la charité, la simplicité, les œuvres charitables, l'obéissance, l'hospitalité – demeurent valables peu importe l'expression que leur donnent diverses cultures à différentes époques. Les simples traditions sont d'une nature tout autre, ce sont des coutumes plus ou moins sujettes aux fluctuations de cultures émanant de lieux ou d'époques variées. Leur apport n'est pas essentiel à la vie monastique, contrairement à celui des valeurs issues de l'Évangile. Les traditions ne sont pas mauvaises en soi, mais leur contexte historique doit être pris en considération. Si tel n'est pas le cas, on court alors le risque d'en faire des valeurs canoniques. Cette distinction s'avère particulièrement pertinente à notre époque, à cause des tendances au fondamentalisme.

Pour illustrer la différence entre la Tradition et les traditions, j'aimerais décrire un des aspects bien-aimés de la vie monastique, les offices divins. Ces derniers furent célébrés en latin et accompagnés de chants grégoriens jusqu'au dernier Concile œcuménique. Toutefois, depuis que le dernier Concile a introduit l'usage du vernaculaire dans la Liturgie, plusieurs monastères ont laissé tomber le latin, car à leur avis, l'emploi de leur langue maternelle facilite et renforce la prière liturgique. À la lumière de la Tradition, ce choix est tout à fait valable, puisqu'il préserve l'essentiel – la prière et les louanges de Dieu – et qu'en outre, il faut l'espérer, il l'améliore. Dans le cas présent donc, la Tradition est maintenue cependant que les traditions – le chant grégorien et le latin – sont remplacées. Les modifications aux traditions mineures n'influent aucunement sur la nature de l'existence monastique. Tel ne serait pas le cas cependant si les monastères tentaient de varier la prière et les offices, valeurs inhérentes à la vie monastique. Cela reviendrait à trafiquer la Tradition.

Mon intention n'est pas de dénigrer le latin ou le chant grégorien, si chers à nombre de monastères, et que même notre monastère conserve et emploie, dans une certaine mesure. Il me semble toutefois important de souligner, même en ce qui concerne ceux qui gardent de

telles valeurs, que celles-ci appartiennent à des traditions et non à la Tradition. Après tout, les moines du désert, tels Antoine ou Pacôme, ne connaissaient pas le latin, ils se contentaient d'offrir à Dieu des louanges dans leur langue maternelle.

Saint Antoine, Père des moines, fut désigné comme l'authentique légataire du feu de la Pentecôte, car il était pénétré de l'Esprit saint. Le joyau inestimable qu'est l'Évangile est ce que nous, moines et moniales, appelons la tradition monastique vivante. Voilà le legs de nos pères et mères de l'orée de l'ère chrétienne, legs qui contient la vie immanente en l'Esprit saint, une vie consumée de feu et d'amour, digne d'être transmise d'une génération à l'autre.

Si nous souhaitons vivre comme moines, il faut d'abord comprendre la nature de l'existence monastique. Il nous faut tenter de toucher les sources d'où provient cette vie. Il nous faut connaître quelques-unes de nos racines spirituelles afin de mieux les implanter solidement dans le sol.

THOMAS MERTON,
Qui cherches-tu? Vocation et spiritualité monastique

Saint Benoît

Ne rien préférer à l'amour du Christ.
Règle de saint Benoît, chapitre 4

L'homme de Dieu, Benoît de Nursie, béni de nom et par la grâce, est un saint remarquable dont le rayonnement modifia le cours de l'histoire. On le dit « Père et patron d'Europe » parce que sa Règle contribua grandement à la formation de la civilisation occidentale. Saint Benoît naquit en 480 ap. J.-C. dans une petite ville au nord de Rome, Nursie. Adolescent, ses parents l'envoyèrent parfaire son éducation dans la vaste métropole. À Rome, Benoît découvrit, parmi les étudiants, une vie abandonnée au plaisir et à la débauche qui le répugnait. Ainsi que le souligne son biographe Grégoire le Grand, « souhaitant ne plaire qu'à Dieu seul », il décida de quitter les préoccupations mondaines de Rome pour se retirer dans les montagnes de Subbiaco, à soixante kilomètres à l'est, où il adopta une vie érémitique.

Après bon nombre d'années passées en réclusion stricte, une communauté voisine l'enjoignit de devenir leur supérieur. Benoît accepta à contrecœur, pour découvrir par la suite qu'il s'agissait là d'un groupe de moines rebelles, refusant toute réforme : ils tentèrent même de l'empoisonner. Benoît quitta le groupe et retourna à sa chère solitude. Mais bientôt arrivèrent de nouveaux disciples qu'il instruisit sur la vie monastique, verbalement et par l'exemple. Une nouvelle vague de haine s'éleva autour de lui, et du coup, il décida de quitter définitivement Subbiaco. Il se dirigea vers le sud en compagnie de quelques loyaux disciples et s'établit dans la région du mont Cassin, à l'intérieur des terres, à mi-chemin entre Rome et Naples. Benoît put organiser dans ce nouveau monastère la vie de ses moines suivant sa Règle pour les Monastères. Son biographe affirme que cette Règle « est remarquable par sa discrétion et son style clair ; quiconque souhaite connaître plus à fond le tempérament et la vie de saint Benoît trouvera un exposé complet des principes et des pratiques dans les ordonnances de sa Règle. Car le saint n'aurait pu livrer un enseignement qui eut été différent de sa vie ». Saint Benoît mourut vers 547 ap. J.-C., laissant sa Règle en testament d'une vie en l'Évangile pour les générations futures de moines.

La Règle de saint Benoît reflète sagesse et modération ; strictement fondée sur l'Évangile, elle dose savamment dans le quotidien des moines la pratique de la prière liturgique, l'*Opus Dei*, du nom que lui attribuait saint Benoît, la lecture méditative en privé des Écritures et des Pères, le labeur physique contribuant au soutien de la communauté et le repos.

Saint Benoît estime que la quête de Dieu et la maturation en la connaissance et en l'amour de Jésus-Christ constituent les seuls objectifs de nos vies chrétiennes. Le moine entre au monastère non parce qu'il cherche à devenir un être supérieur mais simplement pour vivre pleinement une existence chrétienne. Pour reprendre les paroles de saint Benoît, le monastère n'est qu'« une école au service du Seigneur ».

Il recommande au moine de prendre pour seul guide l'Évangile, empruntant ainsi la voie tracée pour nous tous par le Christ (Prologue de la Règle). Dans l'optique de saint Benoît, le moine s'efforce quotidiennement de devenir un disciple plus humble «qui ne préfère rien à l'amour du Christ». Chaque jour, le moine se livre à l'œuvre d'amour, notamment par la prière qui traduit son amour pour Dieu et pour son prochain. La prière exprime un amour qui rapproche le disciple de son unique maître, le Christ, ainsi que de tout ce que le Christ aime, le monde entier et chaque être qui s'y trouve.

Nous te remercions, Seigneur Jésus-Christ
Dans ton amour infini envers nous, tu nous
enseignes.
Par la vie et l'exemple de saint Benoît
Accorde-nous que, préférant ton amour à toute
chose,
Nous soyons menés à la plénitude de la vie
Dans le Père et le Saint-Esprit

LA RÈGLE DE
SAINT BENOÎT

*La Règle dépasse toujours le simple code de vie
ou le manuel de la doctrine; et cependant, elle
combine les deux. La Règle condense avant tout
l'expérience qui gît au cœur de la vie monastique.
Les principes des doctrines évoqués, ou encore,
les détails des obédiences suggérées ou imposées,
sont nantis d'un pouvoir intrinsèque. Ce pouvoir
est une expérience de la vie inhérente de Dieu en
le Christ Jésus et en son Esprit saint.
La lettre de la Règle recèle la vie en soi et cette vie
s'éveille au cœur de la discipline. D'où l'importance
des premières paroles de la Règle: «Écoute, mon
fils.»*

DOM ANDRÉ LOUF, *La voie cistercienne*

A u chapitre 73, dernier chapitre de la Règle, saint
Benoît nous confie avoir rédigé «cette petite
Règle à l'intention des débutants». Depuis le VIᵉ siècle,
elle façonne la vie d'innombrables religieux, et encore
de nos jours, elle continue d'être appliquée au sein de
diverses cultures et sur plusieurs continents. Survivant à
l'assaut du temps, la Règle a inspiré moines et moniales
au cours des siècles – preuve de sa sagesse et de sa valeur
universelle et intemporelle. Elle fut l'objet d'analyses
exhaustives dans maints ouvrages et articles produits par

des religieux ou des universitaires. Effectivement, le nombre considérable de nouveaux ouvrages et commentaires publiés chaque année sur le sujet ne cessera jamais de m'étonner.

De jeunes étudiants viennent à notre monastère animés d'un vif intérêt à l'égard de la vie monacale. Plusieurs m'interrogent sur la raison de cet engouement pour la Règle en cette ère technologique. Que peut avoir à offrir un document du VIe siècle à des gens que leur culture et leur époque éloignent terriblement de saint Benoît ?

Plusieurs aspects rendent appréciable la Règle, toutefois, la sage latitude qu'elle permet au moine dans son cheminement sur la voie de l'Évangile est l'un des éléments que je considère très attrayants. Elle admet tacitement un certain pluralisme puisqu'elle est énoncée sous forme de remarques plus générales que spécifiques quant aux observances, ce qui laisse place à la créativité et à l'amélioration. La Règle ne se limite pas à son lieu et à son époque d'origine : à l'instar des Évangiles

qui l'inspirèrent, elle est nantie d'une sagesse tout aussi vivante et profondément pertinente qu'à l'époque de sa composition.

Son caractère intensément personnel justifie en second lieu son intérêt continu. Les paroles initiales du Prologue, «Écoute, mon fils», reflètent clairement l'amour bienveillant que saint Benoît porte à son lecteur. C'est à lui que s'adressent les paroles de vie de la Règle en vue de communiquer intégralement la grâce, la sagesse et la plénitude qui furent l'expérience de saint Benoît. Le fait d'épouser la Règle comme mode de vie relève par la suite du choix individuel du moine qui en distillera l'essence de sagesse jour après jour.

Le modèle parfait qui structure la journée monastique est le troisième élément de la Règle qui conserve un intérêt intemporel. La Règle préconise un partage égal du temps entre la prière, la lecture sacrée, le travail intellectuel et manuel, et le repos. Toutes les activités de la journée monacale sont ainsi sagement dosées. Saint Benoît fit preuve de génie en conjuguant harmonieusement par la Règle les saisons de la terre, leur alternance entre ténèbres et lumière, et les saisons de la liturgie chrétienne, instaurant un équilibre dynamique et un rythme sain dans le quotidien du moine.

Synthèse parfaite de la fine fleur des traditions occidentale et orientale, la Règle demeure un itinéraire vivant pour l'odyssée monastique. Au monastère, nous faisons une lecture quotidienne d'une portion de la Règle; son enseignement nous semble plein de sens et d'à-propos. Chaque jour du noviciat, le moine en charge de la formation du postulant instille en sa pensée et en son cœur la vérité et les trésors que recèle la Règle. Le novice apprend graduellement à parcourir la voie tracée par la Règle, y puisant une force sereine et secrète qui le soutiendra, l'enhardira dans son voyage intérieur. La lecture de la Règle, son application au quotidien avive en notre cœur et au monastère la présence et l'exemple continu de saint Benoît. La Règle est porteuse de vie et peut, en conséquence, transmettre cette vie d'une génération de moines à l'autre.

Saint Benoît ne cherchait pas à formuler, dans sa Règle, une théorie de la vie spirituelle. Il souhaitait simplement dresser un programme pratique à l'intention de personnes souhaitant vivre pleinement la vie chrétienne. Ses directives, en particulier, se fondent néanmoins sur une compréhension lucide de l'essence et des mystères de la vie spirituelle. Plusieurs années d'étude des Saintes Écritures, des auteurs ecclésiastiques et des pionniers du monachisme ont encore approfondi cette compréhension. Sa quête et son combat le menèrent à l'expérience de chacune des étapes de la voie vers Dieu, et cette expérience vint confirmer et couronner sa compréhension.

DOM EMMANUEL HEUFELDER,
The Way to God

Le carême

Le carême du printemps est venu.
La lumière du repentir s'offre à nous.
Abordons avec joie la saison du carême.
Et adonnons-nous avec effort à la vie spirituelle,
Purifions notre âme et notre corps,
Et par l'abstinence de nourriture, contrôlons
nos passions,
Avec persévérance, en vivant selon les vertus
inspirées par l'Esprit.
Poursuivons notre aspiration vers Dieu
Pour ainsi être dignes, après quarante jours,
D'être témoins de la passion solennelle du Christ,
Et de festoyer dans la joie
Pour la Pâque sacrée du Seigneur.

Office byzantin pour le carême

Au début du chapitre 49 de la Règle, saint Benoît énonce en termes puissants et clairs: «En tout temps le moine devrait avoir la même régularité de vie qu'en carême.» Il souligne ainsi que pour lui, le carême représente davantage qu'une saison liturgique quelconque, elle reflète essentiellement la vie monastique telle qu'elle se doit de l'être en tout temps. Il affirme encore que le moine doit, pendant le carême, conduire sa vie avec une pureté immaculée, et prendre soin d'éviter les fautes et les manques antérieurs. Saint Benoît estime que cette purification s'accomplit en se gardant du péché et en se consacrant à la prière contrite, à la lecture sacrée, au repentir, à l'abstinence. Saint Benoît accorde à l'observance du carême une telle importance qu'il conseille à ses moines de la considérer comme un schéma, un modèle sur lequel façonner leur vie entière.

Saint Benoît serait déconcerté de voir que pour nombre de chrétiens, le temps du carême se limite aujourd'hui à une banale période où s'abstenir de sucreries, de télé, ou encore procéder à une confession annuelle. Il est désolant de constater que le carême n'est plus confiné qu'à quelques bribes de la vaste signification qu'il possédait à l'aube du christianisme. Si toutefois nous assimilions à nos vies quelques-uns des principes éternels propres au carême tel que le suggère saint Benoît dans sa Règle, peut-être alors leur sens véritable se révélerait-il à nous et susciterait-il une expérience renouvelée de sa fertile réalité.

Le premier principe cité par saint Benoît, qui devrait aller de soi, consiste à « s'abstenir du péché ». Le carême commémore pour nous notamment les quarante jours pendant lesquels Jésus livra à Satan le tentateur un combat dans le désert. Le carême devrait, pour nous aussi, être une période consacrée à lutter contre nos tentations importantes, mais également et surtout contre nos fautes plus subtiles, les péchés en apparence anodins auxquels nous consentons chaque jour. Nous procédons parfois à un examen de notre conscience, uniquement à l'affût de nos fautes graves en omettant celles de moindre importance qui se sont assimilées à notre personnalité à tel point qu'elles sont devenues invisibles. Le carême se prête aux bilans et à une franche observation de nous-mêmes qui permet de percevoir les obstacles qui jonchent notre route vers Dieu, tout ce qui doit être banni de notre vie. Le carême nous fournit l'occasion d'opérer des changements radicaux en nous-mêmes.

Le second principe que nous suggère saint Benoît demande de nous adonner à la prière contrite. Aux premiers jours du carême, on nous fait lecture à l'église de la parabole évangélique du pharisien et du publicain (Luc 18,9-14). L'enseignement de Jésus dit que la prière arrogante et orgueilleuse du pharisien déplaît à Dieu. La prière qui, en revanche, touche le cœur de Dieu est cette humble prière du publicain, le percepteur d'impôt, qui confesse son impureté et qui en appelle à la sollicitude de Dieu, avec un cœur chagriné. Notre prière du carême se doit donc d'être humble et contrite, une prière de repentir, de simplicité et de confiance en la bienveillante compassion et en la tendresse de Dieu; elle n'est pas dirigée vers nous-mêmes. Voilà l'unique forme de prière susceptible de nous rapprocher vraiment de Dieu.

Le troisième principe dont parle saint Benoît est la lecture sacrée. À la saison du carême, la lecture des Écritures Sacrées, de l'Ancien et du Nouveau Testament, surplombe le culte monastique. Non seulement le moine doit-il s'appliquer à la lecture des Écritures pendant ses heures formelles de prière, mais il lui faut également continuer sa lecture à d'autres moments. Le moine, comme tout autre chrétien, doit entretenir une soif perpétuelle, presque compulsive, pour la Parole de Dieu, car l'enseignement de l'Esprit saint nous parvient continuellement à travers les Écritures. Selon les paroles émouvantes de l'un des pères fondateurs : « Dans les Écritures Jésus prie, pleure et nous parle directement. » Le carême, ce temps merveilleux, si propice à la lecture et à l'écoute de la voix de Dieu à travers sa Parole, permet un contact vital, direct avec lui.

Saint Benoît souligne un quatrième principe qui habite le cœur du chrétien, et occupe ainsi le centre de la vie monacale. Saint Benoît nous parle du repentir. Au seuil du carême, au moment de porter les cendres à notre front, le prêtre répète ces paroles : « Repentez-vous et croyez à l'Évangile. » (Marc 1,15) Le repentir empreint de joie et d'une humble sincérité symbolise la naissance d'une vie nouvelle. Tout progrès dans cette vie nouvelle en le Christ doit se prévaloir du repentir. Œuvre de l'Esprit saint en l'intimité de notre cœur, le repentir requiert un effort spirituel assidu et prolongé. La conversion et le repentir s'avèrent en vérité des tâches qui s'échelonnent sur toute une vie, et pourtant le carême offre une occasion privilégiée pour s'y consacrer intensément. Selon l'expression superbe du Père

Schmemann, le carême est en effet «une école du repentir», nous l'accueillons chaque année comme un don de Dieu, le temps d'approfondir notre foi, de réexaminer et changer notre vie.

Pour finir, saint Benoît parle d'abstinence de nourriture. Longtemps associée au carême, cette pratique n'est pas réservée au christianisme ou à l'existence monastique. Bien connu des religions non chrétiennes, le jeûne est employé dans le monde laïque à des fins purement médicales, diététiques ou thérapeutiques. Pour le chrétien toutefois, l'abstention de nourriture présente une connotation tout autre, spéciale, car elle s'inspire de l'exemple du Christ qui jeûna quarante jours et quarante nuits durant (Matthieu 4,2). Le Christ employa le jeûne, et incita ses disciples à en faire de même, afin d'apprendre le contrôle de soi et la sobriété nécessaires afin de garder, sur notre existence chrétienne, une perspective humble et sage. L'expérience douloureuse de la faim nous mène à prendre conscience des limites de notre condition humaine et de notre sujétion absolue à Dieu. Moins une activité physique, le jeûne est davantage un geste spirituel. Grâce à celui-ci prend place en nous, au fil des jours souvent ennuyeux du carême, un processus d'auto-évacuation, de mort à soi-même. Cette purification peut s'avérer difficile, accablante, mais lorsqu'elle s'accomplit sous la direction de l'Esprit saint, elle est source de vie et fait naître une grâce puissante qui imprégnera notre vie. Le chrétien ne dissocie jamais le jeûne de la prière et de l'attention tournée vers Dieu, car il nous enseigne à tous la conscience lucide, qu'il approfondit tout en alimentant cette soif ardente pour Dieu.

Saint Benoît avait acquis une maîtrise consumée des observances du carême ; nous le voyons dans l'exemple de sa vie ; il incite le disciple à en devenir l'émule, pénétré de la joie de l'Esprit saint, cheminant sur la voie monastique vers la fête de Pâques avec l'allégresse que procure l'aspiration spirituelle. Ainsi, la Pâque deviendra le paroxysme, le parachèvement de toute aspiration spirituelle, l'épanouissement d'une vie neuve, heureuse par la puissance de la Résurrection du Christ.

Un voyage, un pèlerinage. Et déjà, en l'entreprenant, dès le premier pas dans la « radieuse tristesse » du carême, nous apercevons au loin, bien loin, la destination : la joie de Pâques, l'entrée dans la gloire du Royaume. Et c'est cette vision, l'avantgoût de Pâques qui rend radieuse la tristesse du carême et qui fait de notre effort de carême un « printemps spirituel ».

ALEXANDRE SCHMEMANN, *Le grand carême*

Sainte Marie
l'Égyptienne

*La puissance de ta Croix a fait des
merveilles, Seigneur, au point que la
courtisane d'autrefois s'est lancée au
combat d'une ascétique vie; en dépit
de sa faiblesse elle a lutté contre le
Diable courageusement et de sa victoire
ayant reçu le prix, pour nos âmes elle
intercède auprès de toi.*

Triode du Carême,
Canon de sainte Marie l'Égyptienne

*La vie de sainte Marie présente non seulement
une victoire de l'ascèse, une victoire de l'amour,
mais c'est également une victoire sur toute
notion préconçue au sujet de la sainteté.*

MÈRE THEKLA, IKONS

Sainte Marie l'Égyptienne est l'une des Mères du désert dont l'exemple présente à ce jour une pertinence intemporelle pour quiconque cherche Dieu par le biais de la vie monastique. Marie vécut au Ve siècle à Alexandrie ; prostituée, elle passa le plus clair de sa jeunesse à corrompre de jeunes Égyptiens. Elle prenait plaisir à séduire tous ceux qui venaient à elle, mais refusait cependant l'argent offert en guise de paiement. Seule la recherche du plaisir motivait son comportement.

Elle se joignit un jour à un groupe de pèlerins se rendant du Caire jusqu'à la cité de Jérusalem pour célébrer la fête de la Sainte-Croix. En proie à une intense curiosité, elle suivit jusqu'à l'église de la Sainte-Croix les pèlerins, souhaitant ardemment voir la croix authentique. Chaque fois qu'elle tenta d'entrer dans l'église cependant, une force mystérieuse la repoussait. Alors que la foule des pèlerins avançait sans entrave, Marie demeurait paralysée, incapable de se mouvoir. Ses tentatives infructueuses de voir la Croix la laissèrent confuse, consternée. Désespérée de ce rejet, elle se tourna dès lors vers une icône de la Mère de Dieu, et implora son aide.

Ô Vierge à jamais bénie, tu as engendré la Parole divine dans la chair. Je ne suis pas digne de contempler ton icône sacrée, Ô dame si pure ! Mais si, comme je l'ai entendu dire, Dieu s'est fait homme, né de toi afin d'appeler au repentir les pécheurs, secours-moi, car je suis sans recours dans ma détresse. Commande aux portes de l'église de s'ouvrir à moi ; ne me prive pas de poser mon regard sur cet arbre sur lequel Dieu incarné, né de toi, fut crucifié et versa son sang pour me racheter. Je t'enjoins d'être ma garante devant ton fils, afin que plus jamais je ne souille ce corps par la fornication infamante, mais plutôt, qu'ayant adoré l'arbre de la Croix, je renonce aussitôt au monde et à ses vanités et que j'aille là où toi, garante de mon salut, me commandes d'aller et où tu me mèneras.

Le visage baigné de larmes, la prière de Marie s'éleva vers la Mère de Dieu avec une sincérité telle que la grâce lui fut accordée instantanément, et elle put enfin atteindre la Croix du Christ. Cette grâce la mena ensuite au Jourdain et encore plus avant dans le désert, guidée par la main de la Mère de Dieu, comme le rapporte Mère Thekla dans IKONS : « Année après année à affronter le froid glacial et la chaleur torride, les tentations et le tourment charnel, la terreur et le désespoir, pour finalement atteindre à la paix au-delà de toute compréhension. »

Pour tous ceux qui sont engagés dans la voie monastique, la sainteté de sainte Marie l'Égyptienne, habituellement célébrée au milieu du carême, le 2 avril, possède une puissante signification. Sa vie illustre dramatiquement les voies mystérieuses par lesquelles la grâce et le repentir purent sublimer l'œuvre de la luxure en une œuvre d'amour. Le chrétien qui emprunte la voie monastique et endosse « l'habit du repentir », ainsi que les moines de jadis désignaient la robe monastique, s'abreuve à cette ferme conviction que l'unique chemin vers Dieu, la route ordinaire et authentique, est l'humble repentir.

Illumination et grâce, cette humilité du cœur et de l'esprit est source de guérison et de liberté intérieures pour tous ceux qui, mus par l'Esprit saint, adoptent pleinement le repentir comme don véritable de Dieu.

Chaque année, aux offices du cinquième dimanche du carême, lecture est faite de la vie de sainte Marie l'Égyptienne dans les églises orientales et dans les monastères.

Ouvre grandes les portes du repentir, Ô Source de vie,
Car mon esprit s'élève pour prier en ton temple sacré,
Chargé du temple de mon corps souillé.
Mais, dans ta compassion, purifie-moi par l'amour bienveillant de ta miséricorde.

Mène-moi sur les chemins du salut, Ô Mère de Dieu ;
Car j'ai profané mon âme par d'abjects péchés ;
Et j'ai dispersé ma vie dans l'oisiveté.
Par ton intercession, délivre-moi de toute impureté.

Lorsque je réfléchis à tous les actes vils
Commis par le misérable que je suis,
Je tremble à la pensée du jugement dernier.
Mettant ma confiance dans ton amour bienveillant,
Comme David, je crie vers toi,
Aie pitié de moi, Ô Dieu, dans ton infinie miséricorde.

Tropaire du carême

PÂQUES

Voici le jour de la Résurrection,
Puissions-nous être illuminés, Ô peuple chrétien,
Car c'est le jour de la Pâque sacrée du Seigneur.
Allons nous abreuver à cette fraîche rivière,
Qui n'a pas jailli du roc stérile
Mais de la fontaine de vie,
Qui sourd du sépulcre du Seigneur Christ.

SAINT JEAN DAMASCÈNE

P our le moine dans son monastère ou son ermitage, ou pour tout chrétien dans sa famille, l'heureuse fête de la Résurrection conclut la période du carême consacrée à la prière, au jeûne, à l'introspection paisible. Au seuil de cette radieuse fête, se déroulent les derniers jours de la Semaine sainte au pied de la Croix, aux côtés de Notre-Dame, et nous partageons le souvenir de la douleur, de la souffrance qu'endura Jésus son fils pour notre bien. Au monastère, ces jours défilent en un silence tranquille, car un lourd chagrin accable nos cœurs. Le Vendredi saint est un jour de grand jeûne : même les laitages sont prohibés, et le régime du moine ne se réduit plus qu'au pain et à l'eau, ou à d'autres boissons comme le thé ou le café. Suivant l'après-midi de l'austère Liturgie de la Passion du Christ, nous nous retirons à nos cellules pour prier, lire et méditer davantage. Le soir, avant le repos nocturne, nous récitons les complies et chantons le Stabat Mater sur une mélodie grégorienne mélancolique qui évoque la solitude de Marie affligée de chagrin au pied de la croix où gît son fils.

Puis vient le Samedi saint que la Liturgie désigne « le Sabbat béni, lorsque dort le Christ ». J'affectionne tout particulièrement le Samedi saint, plus paisible encore que le Vendredi saint puisque aucune liturgie n'est célébrée. Nous partageons toutefois le tourment de la Passion et de l'ensevelissement de Jésus, tout en éprouvant pourtant la joie de sa Résurrection. Un écrit byzantin oriental décrit en termes poignants le mystère du Samedi saint :

Ô tombeau joyeux ! Tu as accueilli
Le Créateur et l'Auteur de la vie
Ô étrange merveille ! Celui qui demeure aux cieux
s'attache à la terre de son propre gré

La quiétude, le silence impénétrable, et la paix que nous goûtons le Samedi saint, à veiller auprès de la tombe du Christ, s'avèrent probablement le meilleur prélude à l'allégresse explosive, toute-puissante de la Résurrection. La vie nous mène parfois de même par des chemins d'affliction et de désolation vers des lieux de paix et de compréhension qui culminent finalement en une joie incomparable.

Au cœur de la nuit, à la fin du Samedi saint, défile doucement la Vigile pascale lors de laquelle le feu nouveau est béni pour ensuite illuminer la Bougie pascale. Munis de bougies à la flamme scintillante, moines et fidèles forment une procession à la suite de la Bougie pascale et pénètrent dans l'église enténébrée, où l'Exsultet annonce au monde entier en une glorieuse proclamation, la

Résurrection du Christ. L'envoûtante mélodie grégorienne en parfait unisson avec le texte, qui clame les merveilles de Dieu en la Résurrection, est véritablement l'un des moments poignants de la Liturgie orientale. Après l'Exsultet, la vigile nocturne se poursuit avec la lecture de psaumes entrecoupée d'antiennes. La célébration solennelle du banquet de l'Eucharistie, apogée de notre vigile pascale, vient couronner cette lecture des psaumes. L'Eucharistie débute lorsque le célébrant entonne le Gloria. Les moines exécutent le merveilleux chant de la première messe du répertoire grégorien, *Lux et Origo*, propre à la saison pascale. Les cloches carillonnent d'allégresse, portant de par les monts et vallées l'heureuse nouvelle de la Résurrection. La messe s'achève par la bénédiction de l'agneau pascal, le plus jeune du troupeau, qui symbolise le Christ, l'agneau de Dieu immolé. On l'oint avec l'eau nouvelle de Pâques, puis on le ramène à la bergerie. Les animaux, la végétation et les fleurs au monastère participent aux réjouissances, car Pâques est la fête où la création entière exulte en raison de la Résurrection du Créateur de toute vie.

À chaque saison pascale s'épanouit sur les terres du monastère une myriade de jonquilles, ce qui ne manque jamais de m'enchanter. Après la bénédiction de l'agneau, nous rendons longuement grâce et prions, une occasion pour le moine de s'imprégner du sens du mystère commémoré. Un flacon d'eau pascale fraîchement bénite nous est remis, puis suit une période de quelques heures de repos. Nous nous retirons dans nos cellules avec cette eau bénite qui servira jusqu'à la fête de Pâques suivante.

Le chant des vêpres solennelles de la Résurrection amorce la soirée du Dimanche de Pâques. La première hymne des vêpres *Ad cenam Agni providi* est à mon avis l'une des plus belles du répertoire grégorien. D'exquises antiennes pour l'occasion succèdent à cette hymne, accompagnées chacune de leur psaume respectif relatant, une fois encore, les circonstances bibliques de la Résurrection. Le récit évangélique de l'apparition du Christ à ses disciples en ce premier soir de Pâques couronne les vêpres solennelles. On encense tout d'abord le livre des Évangiles et la bougie pascale, symboles du Christ. Lecture est ensuite faite de ce récit magnifique ; suit un silence prolongé où l'on ressent clairement la présence immédiate du Seigneur ressuscité. Le Magnificat, le chant de louange de Marie adressé à Dieu pour ses vastes miracles, conclut comme à l'habitude les vêpres.

La célébration consécutive du carême, de la Semaine sainte, de Pâques coïncidant avec l'arrivée du printemps, comporte une signification estimable. Le carême permet de confronter les aspects les plus sinistres de notre vie et nous oriente vers l'espoir joyeux d'une vie nouvelle qu'amène Pâques. Dans les monastères, où le jeûne et la pénitence pratiqués pendant le carême tendent à une certaine sévérité, la Résurrection nous remplit d'une joie sans limites. De toute l'année liturgique, cette expérience est celle qui nous exalte et nous élève le plus spirituellement. Les carillons chantent des alléluias, la chapelle s'illumine de fleurs fraîches et de lumières vives, et nos chants résonnent de la joie de la Résurrection du Christ, cependant que moines et moniales s'échangent les salutations traditionnelles : « Le Christ est ressuscité », et en réponse : « C'est bien vrai ! Le Seigneur est ressuscité. »

Dieu nous a envoyé l'agneau du printemps
apprêté à la menthe savoureuse et au thym
Appelle-nous et invite-nous à festoyer
et à louanger ton nom.

ANNIE DILLARD, *Feast Days*

Jardinage printanier

Derrière l'abbaye, dans l'enceinte du cloître, le sol est nivelé: on y trouve un verger, avec une variété d'arbres fruitiers, semblable à un petit boisé. Côtoyant l'infirmerie, ce jardin est source de réconfort pour les moines; il y a une allée vaste où se promener et un lieu de repos où se reposer. Le potager commence là où finit le verger, il se divise en plusieurs parterres, ou encore mieux, il est départagé par d'étroits canaux dont les eaux servent à nourrir les poissons et à arroser les légumes.

Manuscrit français anonyme, XIIᵉ siècle

P uis, « Yahvé Dieu prit l'homme et l'établit dans le jardin d'Éden pour le cultiver et le garder ». (Genèse 2,15) À l'orée des siècles, le jardinage était considéré comme un des éléments du mandat de Dieu selon lequel l'homme devait prendre soin de la Terre. Les moines du désert égyptien prirent à cœur ce commandement et devinrent d'avides jardiniers et d'attentifs intendants du domaine dont ils avaient reçu la charge. Cette notion d'un jardin leur était précieuse, car ils pouvaient par là même reproduire le paradis que l'homme et la femme avaient jadis partagé avec Dieu. Les premiers moines élaborèrent les principes du jardinage monastique simultanément aux autres principes de la vie monacale.

Une très ancienne biographie de saint Antoine, rédigée par son ami saint Hilarion, décrit le petit jardin d'Antoine : « Il planta ces vignes et ces arbustes ; il arrangea avec effort l'étang pour l'irrigation de son jardin ; il retourna la terre de son râteau pour les années à venir. » Saint Antoine tirait de son jardin sa propre nourriture et offrait l'excédent à ses voisins, notamment aux indigents, selon les recommandations de l'Évangile. Considérant la place prépondérante qu'occupe le jardinage dans les monastères, il n'est pas étonnant que les saints patrons du jardinage, saint Phocas et saint Fiacre, aient été moines ; les illustrations les montrent d'ailleurs toujours munis de leurs bêches, de leurs pelles et de leurs râteaux.

Un antique manuscrit médiéval détaille un plan pour l'abbaye bénédictine de Saint-Gall au IXe siècle, le plan d'un monastère idéal nanti de ses dépendances et de ses jardins. Nous y découvrons un cloître avec son jardin traditionnel, l'infirmerie pourvue de son jardin d'herbes médicinales, le grand potager fournissant la nourriture de la communauté, et adjacent au grand potager, le jardin particulier du jardinier. Les moines y cultivaient fruits et légumes, fleurs et vignes, aromates et herbes médicinales, et quelques plantes servant à fabriquer leurs teintures, leurs encres et leurs encens.

Cette tradition de jardinage se perpétue jusqu'à aujourd'hui, elle s'avère encore une occupation tout à fait monastique. Au début du printemps, lorsque le sol se réchauffe et devient malléable, je me mets au travail dans les jardins de notre enclave. Le nettoyage annuel et le râtelage des débris laissés par l'hiver servent de prélude à l'agréable tâche des semailles. Je sème ensuite les graines en vue de la future récolte. Parmi les premières semailles : laitue, roquette, épinards, bettes, radis et pois.

Un semis hâtif accélère la germination. Et la force des racines des plantes dépendra de leur développement rapide, car les racines absorbent sol, humidité et nutriments qui produiront des plantes florissantes de santé et en quantité abondante. À ce stade, les jardiniers soigneux que nous les moines tentons d'être, doivent se montrer vigilants, car les jeunes pousses sont susceptibles d'être détruites par une gelée tardive, gelée qui dans notre région peut se produire jusqu'à la mi-mai. Les jardiniers du coin attendent d'ailleurs jusqu'à la fin de mai pour amorcer les tomates, les poivrons, les aubergines et les concombres.

Au sein d'un monastère, le jardinage est à la fois une tâche et un art, dont on ne mesure l'envergure qu'au début de notre existence monacale. Les moines-jardiniers nous enseignent à commencer graduellement. Ils nous enseignent à améliorer la qualité de la terre avec le compost et d'autres amendements, sachant fort bien l'effet considérable d'une telle pratique sur la variété des plantes que nous cultiveront. J'ai appris très tôt, moi aussi, à laisser la bride à Mère Nature. Ses signaux indiquent souvent le moment propice pour les diverses tâches du jardinage. Par exemple, nous amorçons le déblayage des débris lorsque les crocus fleurissent. Lorsque les forsythias s'épanouissent, nous taillons les rosiers, les sapins, les plantes que l'hiver a endommagés. Le sol se réchauffe, et nous voilà à diviser et à transplanter les plantes vivaces.

Le jardinage printanier s'épanouit en un lieu tout spécial dans le cœur du moine, car il coïncide avec Pâques, la fête de notre monastère. Chez le moine, le jardinage printanier alimente l'espoir et comble cette promesse d'une vie renouvelée au moment où la création entière renaît par la Résurrection du Christ.

Une vie consacrée à la retraite est source de grandes joies, mais aucune n'égale celle du temps passé à l'étude des herbes, ou celle des efforts mis à connaître la nature. Faites un jardin, quel qu'en soit le type.

WALAFRID-STRABO, *Hortulus*,
manuscrit latin du IXe siècle

La Pentecôte

Ô Roi céleste, Consolateur, Esprit de Vérité,
Toi qui es partout, immanent en tout,
Trésor de bénédictions et Source de vie
Viens et demeure en nous,
Lave-nous de nos péchés,
Et sauve nos âmes, Ô Bienfaiteur!
                    Prière byzantine à l'Esprit saint

L es monastères célèbrent, le jeudi suivant le cinquième dimanche de Pâques, la fête de l'Ascension aux cieux du Seigneur. Sa mission terrestre achevée, Jésus s'en fut au mont des Oliviers, fit ses adieux à sa mère et aux disciples, et s'éleva vers son Père dans les cieux. Ce fut son geste ultime sur terre, un geste qui déploie pour ses suivants d'infinies possibilités, car Jésus ne retourna pas seul vers son Père. Par le mystère de l'Incarnation, Jésus prit avec lui l'humanité entière; nous sommes désormais partie de lui. Les portes du royaume des cieux s'ouvrirent largement pour accueillir le Seigneur triomphant, et par le fait même, l'humanité entière rachetée fut également accueillie et acceptée par le Père. La fête de l'Ascension exalte donc la glorification de Jésus par le Père, mais aussi son acceptation de chacun de nous. Jésus nous ouvre les cieux, en fait notre destination, notre résidence permanente, là où nous serons un jour reçus dans l'étreinte bienveillante d'un Père aimant.

Les chants et lectures liturgiques appartenant aux célébrations de l'Ascension font déjà subtilement allusion à l'Esprit saint, le Consolateur, mandé par Jésus. L'Ascension est donc un prélude nécessaire à la Pentecôte.

L'avènement de la Pentecôte est relatée dans les Actes des Apôtres (2,1-4) : « Le jour de la Pentecôte étant arrivé, ils se trouvaient tous ensemble dans un même lieu, quand, tout à coup, vint du ciel un bruit tel que celui d'un violent coup de vent, qui remplit toute la maison où ils se tenaient. Ils virent apparaître des langues qu'on eût dites de feu ; elles se partageaient, et il s'en posa une sur chacun d'eux. Tous furent alors remplis de l'Esprit saint. »

La Pentecôte est fertilité, plénitude, achèvement. L'Esprit saint nous est accordé afin de perpétuer l'œuvre que Jésus avait amorcée. L'Esprit saint apparaît à la Pentecôte sous la forme du vent et du feu, deux éléments puissants responsables de la vie sur notre planète. La Pentecôte se produit à une époque transitoire entre le printemps et l'été, l'été qui, avec son intense alliance de vent et de feu, symbolise l'Esprit saint, source de vie et créateur de toute chose nouvelle. La chaleur estivale revêt de teintes exubérantes les fleurs de notre jardin et procure à nos fruits et légumes d'exquis parfums et textures. Le feu de l'Esprit saint revêt de même notre âme des couleurs de la grâce et infuse en nous la douceur d'une existence divine vécue en Dieu.

Au fil des siècles, les moines ont conservé une affinité toute particulière pour l'Esprit saint, et lui gardent une place spéciale dans leur vie. Saint Séraphin de Sarov affirme que « tout le propos de la vie chrétienne réside dans l'acquisition de l'Esprit saint ». Les moines se souviennent quotidiennement de la valeur de cet enseignement. Ils tentent d'être à l'écoute des murmures de cette présence mystérieuse qui les habite, qu'ils reconnaissent comme étant l'Esprit de Dieu. En son absence, les moines sont impuissants, seul celui-ci peut tirer du chaos une vie monastique individuelle et en faire une plénitude unifiée et harmonieuse. L'Esprit saint anime le souffle de Dieu au tréfonds de notre être, et son pouvoir opère cette mystérieuse transformation de notre vie.

> Si l'âme se sépare de quiconque discute sur des mots, ainsi que de tout désordre et trouble humain, l'Esprit de Dieu vient en elle, et alors elle pourra engendrer, quoique stérile.
>
> ABBA PŒMEN,
> *Les apophtegmes des Pères du désert*

L'ÉTÉ

ASPECTS
DE LA VIE MONASTIQUE

La foi vivante

*Car, je vous le dis en vérité, si vous avez de
la foi gros comme un grain de sénevé, vous
direz à cette montagne: Déplace-toi d'ici à là,
et elle se déplacera, et rien ne vous sera impossible.*
MATTHIEU 17,20

L a foi est le port d'embarquement pour cette traversée qu'est la vie monastique. Selon l'Évangile, la foi est l'unique condition que Jésus exige de ses disciples afin que ceux-ci puissent accomplir les actions de Dieu dans leur milieu. Les multiples passages de l'Évangile où Jésus attribue les miracles accomplis par Dieu à la seule foi de ceux qui le requièrent sont source d'une joie édifiante. Pour n'en citer que quelques-uns: le récit du paralytique descendu par le toit (Luc 5,17-26), la guérison de la femme affligée d'une hémorragie et la fille de Jaïre rendue à la vie (Marc 5,21-42), et la guérison de la fille de la Cananéenne (Matthieu 15,21-28). Dignes de considération également sont les répliques qu'adresse Jésus à ceux à qui la foi fait défaut, et ses commentaires sur la façon dont cette défaillance de foi empêche l'accomplissement de l'œuvre de Dieu en nous. On peut consulter le récit de l'apaisement de la tempête (Marc 4,35-41), la parabole du juge inique et de la veuve importune (Luc 18,1-8), ou de la malédiction du figuier stérile (Matthieu 21,18-22).

Comment se définit la foi? Le nouveau Catéchisme de l'Église catholique donne comme définition: « la soumission de notre intellect et de notre volonté à Dieu ». La foi est notre réponse humaine au Dieu qui se révèle à nous et nous invite à communier avec lui. Le nouveau Catéchisme explique ce que saint Paul appelle « l'obéissance de la foi » (Romains 1,5), comme suit : « Le fait de se soumettre librement à la parole qui a été entendue, car sa véracité en est garantie par Dieu, qui est lui-même vérité. »

La foi est le don de Dieu — don qui nous permet de remettre notre intelligence, notre connaissance, notre être tout entier et notre vie entre les mains de Dieu, qui est la seule raison de notre existence. Dès lors qu'il nous est accordé, le don de la foi transforme radicalement notre vie. Son impact est total. La foi demeure un mystère absolu, qui semble plus facile à saisir directement pour le croyant qu'à expliquer à celui qui en est totalement dénué. La présence du Christ devient manifeste dans notre vie par la réalité de la foi. Cette expérience de la foi nous fait accéder au pouvoir de l'Esprit saint qui opère en nous, changeant ces choses qui déplaisent à Dieu, et nous transformant graduellement à l'image de Jésus, le Fils bien-aimé du Père.

Le nouveau Catéchisme offre comme exemple vivant de « l'obéissance de la foi » Marie, la Mère de Dieu. Seule une juste appréciation de sa foi peut rendre compréhensible son assentiment au message que lui portait l'archange Gabriel et sa soumission absolue à la volonté de Dieu. Elle avait la profonde conviction que « rien n'est impossible à Dieu » (Luc 1,37), et donna son accord, ce qui changea à jamais le cours de l'histoire. Le vaste mystère de l'Incarnation s'accomplit en la personne d'une simple servante, dont la foi et l'humilité firent la conquête de Dieu lui-même. À cause de sa foi indéfectible en les promesses de Dieu, toutes les générations de chrétiens honorent Marie et la disent bénie.

La foi demeure une chose bien mystérieuse. Il nous est possible, comme pour tout don, d'y consentir ou de l'éconduire. Si nous choisissons d'embrasser la foi et, par le fait même, de consentir au plan que Dieu nous réserve, comme le fit Marie à Nazareth, il faudra s'attendre à d'étonnantes surprises. Grâce à sa foi, Marie accepta avec joie l'excellente nouvelle de l'Annonciation. Cette même foi qui lui permit de se reposer sur Dieu pour ce qu'il est, lui fit accepter sa volonté lors de l'épreuve de la crucifixion, qui demanda de son Fils le don suprême, ainsi que d'elle-même, affligée au pied de la Croix. Bien que le sens des événements ne lui apparût pas clairement, jamais elle ne mit Dieu en doute, car elle savait bien que de recevoir le don de la foi, et d'y consentir, impliquait un prix à payer.

Les doutes nous assaillent parfois, comme ils tourmentèrent plusieurs saints. Sainte Thérèse de Lisieux, une religieuse carmélite du XIXe siècle, fut assiégée sur son lit de mort par le doute et les tentations. Bien qu'humainement de piètre condition, sa confiance en la Parole de Dieu était inconditionnelle et elle accepta tout ce qu'il lui réservait. Il nous faut de même, au fil de notre voyage intérieur, éviter de succomber lorsque nous nous abîmons dans l'incertitude et la contradiction. Il faut au contraire continuer d'avancer, notre foi solidement amarrée au serment que contient la Parole de Dieu. Voilà l'unique solution.

Dieu nous accorde cette vie sur terre afin d'apprendre à croire, en lui et en son Fils unique, Jésus, qu'il a envoyé en ce monde pour nous sauver. Chaque événement de notre vie quotidienne devrait nous épanouir davantage, nous amener à pénétrer plus profondément en cette conviction. Peu importe les problèmes, les difficultés qui nous affligent, peu importe les craintes, les contraintes qu'amène chaque jour, les yeux de la foi devraient nous permettre de percevoir la main salvatrice de Dieu à l'œuvre dans notre vie. La foi nous révélera que notre condition de pécheur, notre pauvreté, notre impuissance ne font nullement entrave à l'opération de la grâce de Dieu en nous. Plus jamais ne serons nous la proie des ténèbres, de la terreur, car la vérité et la vision de Dieu nous illumineront, excluant toute obscurité.

> Quels trésors de paix, d'amour et de sagesse
> Sont vôtres, Ô Seigneur, pour ceux qui croient en vous.
> Vous les emplissez d'amour et de confiance,
> Et vous les abritez à l'ombre de vos ailes.
> Ayez pitié de nous, Ô Seigneur,
> Et accordez-nous aussi une foi égale,
> Que nous puissions goûter la joie vraie de vous connaître
> Et votre Fils unique, que vous nous avez envoyé,
> Notre Seigneur Jésus-Christ.

LE DÉSERT :
LA QUÊTE DE L'ABSOLU

*Les trois réponses du Christ à Satan résonnèrent
dans le silence du désert ; c'est ainsi que les moines
vinrent afin de les entendre de nouveau et de les
recevoir.*
PAUL EVDOKIMOV, *The Struggle with God*

L a vie monastique prend sa source, humblement,
dans le désert. Les premiers moines allèrent au
désert pour chercher Dieu et vivre en union avec lui. Le
désert s'avérait être un lieu exceptionnel, car la Bible
rapporte que c'est en un tel endroit que Dieu se révéla
dans toute sa gloire. Dans le désert du mont Sinaï, Dieu
dévoila son nom à Moïse. Au cours des quarante ans
passés dans le désert, le Seigneur fournit à son peuple
une manne céleste comme nourriture, et de l'eau jaillissant
du roc. Dans le désert également, le prophète Élie ren-
contra Dieu et établit avec lui un dialogue.

Le Nouveau Testament montre Jean Baptiste se
rendant au désert pour préparer la venue du Seigneur.
Plus tard, Jésus lui-même mû par l'Esprit saint se retira
au désert ; il se disposait ainsi à endosser la mission
pour laquelle l'avait mandé le Père. Au cours des trois
années de son ministère, Jésus y retourna encore et
encore pour s'y reposer et pour prier. Et dans le désert,
au mont Thabor, peu avant sa Passion, il leva le voile

de son humanité et révéla aux apôtres la splendeur de sa nature divine.

Les premiers moines et moniales qui se retiraient dans le désert ne fuyaient pas pour autant la compagnie de leurs frères humains. Ils cherchaient au contraire à se livrer à une quête de Dieu, libres du joug des préoccupations mondaines de leur société. L'époque des Pères du désert en était une de turbulences et de confusion, semblable à la nôtre ; ces troubles touchaient à la fois la société séculaire et l'Église de Dieu. Les premiers moines

et moniales, à l'instar des apôtres et des martyrs, refusèrent tout compromis avec le monde. Ils cherchèrent au désert un sanctuaire où ils pourraient entendre clairement la Parole de Dieu, et vivre en accord avec celle-ci, nonobstant toutes les conséquences qui pouvaient en découler. Cette aventure initiale au désert donna le coup d'envol au monachisme originel ; et elle le façonne depuis. L'appel à la solitude du désert vibre comme constante dans le cœur du moine.

Les Pères et les Mères du désert, toutefois, nous diraient aujourd'hui ceci, que le désert ne doit pas forcément être un lieu géographique. Il repose dans l'isolement et dans l'espace le plus intime en notre cœur. L'attitude intérieure prime. Au désert, la prière occupait le centre de la vie, mais cette prière peut s'élever partout si nous suivons les conseils de l'Évangile : « Pour toi, quand tu pries, retire-toi dans ta chambre, ferme sur toi la porte,

et prie ton Père qui est là, dans le secret. » (Matthieu 6,6) Les moines, dans la solitude du désert, tendaient vers ces idéaux : la prière incessante, perpétuelle, alliée à la pratique quotidienne des vertus, charité, humilité, obéissance, ascétisme. Et ces idéaux demeurent à ce jour valables pour les moines et chrétiens de toutes dénominations. Enfin, il s'agit de prendre à cœur l'Évangile et la vie chrétienne.

Plusieurs monastères, par fidélité à cette expérience monastique initiale, occupent des lieux inaccessibles. Certains moines se retirent pour quelque temps dans un ermitage, tandis que d'autres optent pour un « jour au désert » chaque semaine, plongés dans une solitude entière là où ils se verront confrontés au Dieu absolu et à la réalité crue de notre simple nudité. Pour la vie spirituelle, cette solitude constitue un tremplin inestimable. L'expérience du désert s'avère d'une importance telle, pour toute vie chrétienne, que moines et moniales partagent chaleureusement avec leurs frères chrétiens ou non chrétiens la prière, le silence, et la solitude de leur monastère.

Le désert est fondamentalement un lieu d'insécurité. Au cœur du désert, l'homme se trouve dans une situation sans équivoque, il n'a qu'une seule solution : regarder vers Dieu, le Rédempteur, le servir avec une confiance sans faille et entretenir une foi immaculée en Dieu seul.

PÈRE EDWARD SCHILLEBEECKX, *o.p.*

Le monastère

Les voies menant au monastère sont variées. Un jour cependant, elles convergeront et formeront un chemin unique, elles se rencontreront en celui qui dit: «Je suis la Voie», et «Nul ne peut atteindre le Père qu'à travers moi». Le chrétien qui devient moine ne cherche d'autres voies que celle-ci. Ce qu'il fait sien est ce qu'il a vu et entendu dans les paroles et les actes de Jésus. Comme l'affirme saint Benoît dans le Prologue de sa Règle: «Empruntons cette voie avec pour guide l'Évangile...» Cette affirmation de saint Benoît revient à ce que dit saint Jean: «Notre vie doit être pareille à celle du Christ.»

DOM ANDRÉ LOUF, *La voie cistercienne*

Saint Benoît définissait la fonction d'un monastère comme étant «une école au service du Seigneur», c'est-à-dire une école de la vie où l'on enseigne au moine à vivre selon les enseignements de l'Évangile et où le chemin du salut lui sera indiqué. Le monastère est un lieu de formation où le moine apprend à moduler sa vie entière sur le juste service du Seigneur. Comme toute école, le monastère occupe un lieu précis: il abrite une église, divers édifices tels que dortoir, cellules, cloître, réfectoire, bibliothèque, scriptorium, capitulaire, parloirs et ateliers. Le domaine monastique est susceptible de comprendre également des jardins, des vergers,

des bâtiments de ferme. Le monastère est la résidence du moine, son vœu de stabilité l'y attache à jamais ainsi qu'à la communauté et à la région géographique où il passera le reste de sa vie au service de Dieu.

Le monastère est une école, divers sujets y sont à l'étude.

École de la prière Au monastère, le moine apprend la recherche du Dieu vivant. Cette quête s'exprime naturellement par la prière, et c'est pourquoi le moine cultivera cet art de la prière, en en faisant sa seule raison de vivre. Plusieurs fois par jour, l'appel des cloches le convoque à l'oratoire pour l'*Opus Dei*, les louanges à Dieu. De longues périodes sont consacrées à la prière solitaire, en privé. La prière du Nom de Jésus est employée fréquemment afin d'atteindre à la prière perpétuelle.

École du silence Le profond silence monastique baignera l'atmosphère où le moine doit s'adonner à la lecture, à l'étude et où il se sustentera de la Parole de Dieu. Le silence d'un monastère nuance d'une qualité unique le cadre de vie, une immobilité créatrice où le moine et ses compagnons pourront toucher l'expérience de Dieu et graduellement pénétreront le mystère de leur existence.

École du travail Le moine, à l'image de la vie du Christ, mènera une existence simple, frugale et laborieuse. Le moine tire sa subsistance du travail de ses mains, par lequel il exprime sa solidarité avec ses frères les hommes, notamment avec les indigents et les opprimés. Concilié au passage des saisons et aux cycles de la création, le travail du moine atteste d'un respect tout particulier pour la culture de la terre et l'élevage. L'enseignement monastique sur la coopération avec le mystère de la création de Dieu et sur le respect absolu à cet égard inspire, au monastère, nos efforts de préservation, de recyclage, de frugalité et d'austérité.

École de la vie fraternelle Sous l'égide de la Règle, la communauté monastique forme une unité familiale stable autour du supérieur qui « est en effet considéré comme tenant dans le monastère la place du Christ ». S'inspirant des premiers chrétiens, la communauté monastique s'efforce de « n'avoir qu'un cœur et qu'une âme ». (Actes des Apôtres 4,32)

École de la conversion au Christ Mû par l'Esprit saint et par le désir de vivre en communion intime avec le Christ, le moine fait vœu d'obéissance, de conversion et de stabilité en rapport à un monastère spécifique. Il cherchera en cet endroit à imiter la vie secrète du Christ par le biais de l'obéissance, de l'humilité, de la prière, du travail, du jeûne et de la tenue de vigiles. Le moine se sacrifie chaque jour afin de suivre le Christ. (Règle, chapitre 4)

École du cœur Dans les traces de saint Jean Cassien et de la tradition monastique initiale, saint Benoît envisage l'idéal monastique comme étant « la recherche de Dieu avec un cœur pur ». Jésus fait de la pureté du cœur l'une des Béatitudes : « Heureux les cœurs purs, car ils verront Dieu. » (Matthieu 5,8) Ici même et en ce lieu, le visage de Dieu devient perceptible au moine et le restera pour toute éternité. La pureté de cœur constitue l'exigence préliminaire à l'union avec Dieu et conséquemment, au progrès dans une vie de prière. La pureté de cœur rend le moine docile, réceptif aux inspirations émanant de l'Esprit saint et à son don de la sagesse. Elle lui procure l'intuition et lui laisse un avant-goût des états divins.

École de la paix « Pax » est la devise de chaque monastère bénédictin. Elle est la parfaite expression de l'existence monastique idéale selon saint Benoît, qui concevait le monastère comme étant le séjour de la paix, car y demeurent ceux qui recherchent le Dieu de paix. Le moine s'efforce quotidiennement d'atteindre l'harmonie, cette unité organique qui existait à l'aube de la création.

École du savoir, de la culture et des arts Les Bénédictins possèdent une tradition académique et culturelle reconnue ; son influence sur l'évolution de la civilisation européenne est un fait établi. En vue de la préservation fidèle de cette tradition, le monastère incite activement le moine à acquérir cet « amour du savoir » ainsi que l'appréciation de la culture et son approfondissement. On encourage le moine à l'étude, au travail et à la recherche, et en outre, à entretenir un dialogue avec d'autres érudits, scientifiques, artistes, écrivains ou chercheurs qui visitent le monastère par intérêt pour les valeurs, la sagesse et l'unité que présente l'existence monacale. Le monastère accorde une prééminence à la promotion de la beauté et des arts, plus spécifiquement ceux qui touchent l'adoration de Dieu. Parmi les arts, nous accordons à la musique une importance particulière, car elle fait partie intégrante des prières quotidiennes.

École de service La pratique ancienne de l'hospitalité monastique permet au moine de partager sa vie avec ses frères humains. La tradition monastique veut que les portes d'un monastère soient ouvertes à tous ceux qui sont en quête de la paix en Dieu. Le monastère offre « espaces de silence » au cœur des turbulences, des rumeurs, du rythme trépidant de la vie moderne, ainsi que « l'expérience du désert » essentielle à quiconque souhaite entrer en contact vivant avec le Christ et rétablir leur amitié avec lui.

Saint Benoît affirme qu'il est nécessaire de vérifier si un novice est véritablement en quête de Dieu ; il décrit le monastère comme une école au service du Seigneur. Effectivement, le moine pourrait bien être un étudiant se livrant à la recherche la plus fascinante qui soit. Il ne peut dire où elle le mènera. Il lui semble parfois naviguer sur des mers inconnues, sachant que, bien qu'aucune rive ne soit visible, sa route est devant lui, claire et droite, car Dieu est le souverain dominant le vaisseau, la rive et la mer.

SŒUR KATHERINE, *A Threefold Cord*

LE SUPÉRIEUR, PÈRE DU MONASTÈRE

*L'abbé digne de gouverner un monastère doit
toujours se souvenir du nom qu'il porte et réaliser
par ses actes son titre de supérieur. Il est en effet
considéré comme tenant dans le monastère la
place du Christ, puisqu'il est appelé du même
nom, selon la parole de l'Apôtre: «Vous avez reçu
l'esprit d'adoption des fils, en qui nous crions:
Abba, père.» L'abbé ne doit rien
enseigner rien établir ni prescrire qui ne soit
conforme aux préceptes du Seigneur.*

Règle de saint Benoît, chapitre 2

S aint Benoît conçoit le monastère comme étant
«une école au service du Seigneur» là où le moine
vient se former; et la communauté monastique devient
une famille véritable, stable, gravitant autour du supérieur, le père de la communauté. Il envisage, régnant au
sein de la communauté, l'harmonie que partagerait une
famille idéale, où les moines s'apportent mutuellement
le soutien requis, et où le père dirige avec sagesse et saga-
cité leur quête de Dieu.

La tradition monastique veut que le rôle du supérieur
dépasse celui de la simple figure juridique que représente
l'abbé dans d'autres communautés religieuses. On ne
rencontre effectivement aucun équivalent ailleurs.

Saint Benoît est d'avis que le supérieur est « le substitut du Christ » dans la communauté et qu'autour de lui s'échafaudent les rapports fraternels stables de la famille monacale. Le supérieur, à travers son exemple et son enseignement, incite les moines à s'aimer comme des frères, et à cultiver, par l'exercice de la tolérance, de la patience, du respect mutuel et de la charité chrétienne. Au monastère tout s'accomplit sous sa direction et son consentement.

Cette notion qui conçoit la communauté monastique comme famille éclaire le sens du vœu de stabilité propre aux Bénédictins. Du fait d'appartenir à une famille permanente, tangible, le moine fait vœu de stabilité le liant jusqu'à sa mort à un monastère spécifique de sa profession. Le moine renonce ainsi, au profit du joug bienfaisant de l'obéissance, à la « mobilité » – l'expression manifeste de l'orgueil, des velléités d'indépendance et de la volonté personnelle. La stabilité vis-à-vis d'un monastère en particulier instaure en l'âme du moine sécurité, paix intérieure et joie en l'Esprit saint.

D'un tempérament à la fois spirituel et pratique, saint Benoît recommande au supérieur de former et d'instruire sa communauté en usant de paroles, bien sûr, mais également par le biais de son excellente conduite. Sa Règle prescrit : « Celui qui a reçu le nom d'abbé doit diriger ses disciples par un double enseignement, c'est-à-dire montrer tout ce qui est bon et saint par des paroles et plus encore par des actes ; en paroles il proposera aux disciples réceptifs les commandements du Seigneur, tandis qu'à ceux qui sont durs de cœur ou plus frustes, il manifestera par ses actes les préceptes divins. » (Règle de saint Benoît, chapitre 2) Saint Benoît énonce clairement la nécessité pour le supérieur d'être pour ses disciples un modèle de sainteté; il assure le supérieur que cet exemple accomplira davantage pour le progrès spirituel des frères que tous les sermons usant d'une éloquente rhétorique.

Saint Benoît instaura pour tous, frères et abbé, l'obligation de suivre la Règle. En tout temps, et plus spécialement aux époques de déclin universel, il n'existe pas de meilleure sauvegarde pour la communauté et son supérieur que le respect religieux d'une règle immuable. Sans la règle, l'abbé n'est rien.

DOM ADALBERT DE VOGUË,
La Règle de saint Benoît

L'obéissance

Jésus leur dit: «Ma nourriture est de faire la volonté de celui qui m'a envoyé et de mener son œuvre à bonne fin.»

JEAN 4,34

Le rôle de la foi en l'obéissance est de montrer au moine que c'est à Dieu lui-même qu'il obéit chaque fois qu'il répond à l'appel de la cloche, chaque fois qu'il accomplit une requête, chaque fois qu'il comble le souhait ou répond à l'ordre d'un supérieur ou d'un frère. La foi garde le moine sensible à la voix de Dieu s'exprimant à travers ses porte-parole.

DOM WILFRED TUNINK, *Vision of Peace*

L'obéissance que pratique le moine s'inspire de l'attitude de Jésus envers son Père. Sa venue en ce monde se caractérise par cette affirmation: «Voyez, je viens accomplir votre volonté.» Et jour après jour, Jésus pria en ces termes: «Que votre volonté soit faite.» Le concept de l'obéissance relève moins de considérations légales que d'un état de parfaite ouverture et de fidélité intégrale à la volonté du Père, telle qu'elle se manifeste dans la vie ordinaire d'un moine. À l'image du Seigneur, le moine promet obéissance «jusqu'à la mort» à son monastère. Dans le cadre d'une existence monastique, l'obéissance prend le sens de fidélité, et de soumission à la volonté de Dieu, à la Règle, à la tradition monastique, au père de la communauté et l'un à l'autre.

Obéir signifie de s'engager à l'état de serviteur, à l'image du Christ et d'ainsi faire offrande de tout son être.

DOM ANDRÉ LOUF, *La voie cistercienne*

L'humilité

Il est aussi impossible de se sauver sans humilité
que de construire un navire sans chevilles.

AMMA SYNCLÉTIQUE,
Les apophtegmes des Pères du désert

Ce n'est pas grande chose que d'être avec Dieu
dans la pensée ; mais c'en est une grande que de
te voir toi-même inférieur à toute créature.
Cela en effet, joint à la peine corporelle,
conduit à l'humilité.

ABBA SISOÈS,
Les apophtegmes des Pères du désert

« Ce que Yahvé réclame de toi : rien d'autre que d'accomplir la justice, d'aimer la bonté et de marcher humblement avec ton Dieu. » (Michée 6,8) Cette citation de l'Ancien Testament résume l'enseignement de saint Benoît concernant l'humilité ; on y retrouve un schéma de vie valable pour tous les moines. Saint Benoît insiste sur la fonction de l'humilité dans la vie d'un moine parce que les Évangiles l'enseignent et l'exigent de la part de chaque chrétien. Jésus requiert de tous ses disciples l'humilité de cœur, une attitude primordiale. Malgré nos bonnes actions, l'Évangile nous rappelle que nous ne sommes que « des serviteurs sans valeur ».

Cette valeur accordée à l'humilité est l'un des aspects qui met le monachisme à contre-courant de nos présentes tendances culturelles. Notre société actuelle encourage l'affirmation de soi, l'exaltation de l'individu, l'orgueil personnel et la glorification de soi. La gloire n'appartient plus désormais à Dieu, mais à la personne. Le péché d'orgueil se substitue au besoin d'humilité.

Jésus enseigne par ailleurs, grâce à la parabole du publicain et du Pharisien (Luc 18,9-14), que Dieu souhaite et s'attend de la part du chrétien à une attitude diamétralement opposée. L'Évangile dépeint le Pharisien sous les traits d'un être hypocrite, arrogant et suffisant. La prière qu'il offre à Dieu n'est qu'une longue description de ses accomplissements. Le pauvre publicain pour sa part, s'abaisse, et son humilité plaît à Dieu. Sa prière est ainsi entendue de Dieu. Le chrétien est appelé à élire la voie du publicain. Seule une authentique humilité de cœur sera susceptible d'affranchir le moine des geôles de l'individualisme.

Épousant l'attitude du publicain, le moine fait sien l'exemple donné par le Christ qui affirmait à tous ses disciples « chargez-vous de mon joug et mettez-vous à mon école, car je suis doux et humble de cœur » (Matthieu 11,29). Depuis le moment de son Incarnation jusqu'au terme de son existence, Jésus se fit humble et obéit au point de donner sa vie (Philippiens 2,7-8). Maître et modèle pour le moine, Jésus est la mesure de validité de la vie du moine, selon la perfection avec laquelle ce dernier arrive à se conformer à l'exemple offert par Jésus. S'il y réussit, le moine entendra dès lors la réconfortante promesse que fit Jésus à ceux qui suivent le chemin de l'humilité : « Vous trouverez la paix de l'âme. » L'humilité mûrira au cœur du moine et portera en guise de fruit et de récompense la paix de l'âme.

Celui qui se connaît lui-même ne se laisse jamais entraîner à entreprendre ce qui le dépasse ; mais il marche désormais d'un pas assuré dans le sentier de cette bienheureuse humilité.

SAINT JEAN CLIMAQUE, *L'Échelle sainte*

LE SILENCE

Le silence est le mystère des siècles à venir. La parole est l'organe du monde présent... Celui qui prend plaisir à une abondance de paroles, même s'il énonce des choses admirables, est vide au-dedans. Le silence vous illuminera en Dieu et vous délivrera du spectre de l'ignorance. Le silence vous unira à Dieu.

SAINT ISAAC DE NINIVE

Toute vie monastique traditionnelle accorde au silence une valeur immense. Le silence ouvre au moine un espace où s'unifieront ses pouvoirs auparavant épars. Dans le silence du monastère, règne l'atmosphère propice à la connaissance et à l'expérience de Dieu, où le mystère de son amour devient accessible. Le silence épure l'amour en notre cœur, étaye et approfondit notre prière. Dissipant de sa clarté les ténèbres confuses de notre esprit, il procure quiétude et endurance à nos gestes quotidiens. Au silence, nous puisons force, harmonie et stabilité au jour le jour.

Le silence à la fois intérieur et extérieur s'avère indispensable à la vie monastique. De par la nature même de notre mode de vie, le silence exige une attitude de révérence. Sis en un lieu retiré, le monastère offre la tranquillité favorable au déploiement de la vie intérieure du moine.

La Règle de saint Benoît cite certains passages de l'Ancien Testament qui critiquent l'excès de paroles – le fait de parler trop –, car c'est là la voie menant au péché. Saint Benoît conseille sérieusement de réfréner cette habitude, « donc, même s'il s'agit de propos bons, saints et édifiants, en raison de l'importance du silence, on accordera rarement aux disciples parfaits la permission de parler » (Règle de saint Benoît, chapitre 6). Saint Benoît va plus loin : au-delà de la simple mesure répressive employée contre le péché, le silence, déclare-t-il, est une force émancipatrice de l'âme du moine lui permettant de s'élever vers Dieu. L'œuvre de la grâce peut agir plus libéralement en l'adepte du silence.

Tous les monastères observent le silence suivant des usages variés ; bien qu'on note des divergences superficielles d'un monastère à l'autre, la pratique du silence bénéficie du respect dans tout monastère contemplatif adhérant correctement à la Règle. Chaque monastère abrite des « espaces de silence » où toute parole ou conversation est prohibée : l'oratoire, le réfectoire, le dortoir ou les cellules, le cloître, la bibliothèque et le scriptorium. Dès son entrée dans la vie religieuse, le moine apprend à se montrer plein de déférence à l'égard du silence des autres. Ainsi, partout où se déroulent les activités communautaires, le silence est de rigueur. Et certaines périodes sont en outre consacrées au silence : la nuit (on l'appelle dans les monastères « le grand silence », en d'autres mots, des complies jusqu'à la fin de l'office matinal) ; la sieste en été ; les heures de prière et de lectio divina ; les repas, lorsqu'une lecture accompagne la prise de nourriture.

Cette habitude du silence entre moines dépasse l'abstention de parole ou de conversation. On incite en effet les moines à exercer ce mutisme dans leurs activités pratiques : ainsi, on s'efforcera de marcher, de s'asseoir, de travailler, de fermer ou d'ouvrir portes et fenêtres sans produire aucun bruit. Les conversations, lorsqu'elles sont indiquées, doivent demeurer feutrées, atténuées, réservées, selon les recommandations de saint Benoît.

Pour le moine, la sérénité, la tranquillité et la grâce favorables à l'appréhension de la présence de Dieu dans les confins de l'âme seront à la mesure de sa pratique diligente du silence, dans son ermitage ou au monastère.

Ces trois choses conviennent au moine : le retrait dans un pays étranger, la pauvreté et l'endurance dans le silence.

ABBA ANDRÉ,
Les apophtegmes des Pères du désert

LA SOLITUDE

La solitude et la prière sont les moyens privilégiés
d'acquérir des vertus. Ils permettent de voir
l'invisible, en purifiant l'esprit.
Solitude, prière, amour et abstinence sont les
quatre roues du véhicule qui mène votre esprit
jusqu'au ciel.

SAINT SÉRAPHIN DE SAROV

Tout homme ou toute femme assoiffé de vérité doit
entreprendre, tôt ou tard, l'odyssée intérieure
qu'est la solitude ; elle n'est pas l'apanage exclusif des
moines. Au cours d'une vie terrestre, c'est une entreprise
à laquelle l'on devrait préférablement se livrer fréquemment. Ceux qui ont adopté l'état monastique diffèrent
de la laïcité en ce qu'ils admettent le besoin et la validité de cette expérience : nous la recherchons et lui
accordons une bonne part de temps.

Le voyage dans la solitude favorise la quête de l'identité véritable, non pas cette personne que nous présumons être, mais bien la personne que Dieu souhaite que
nous soyons, à son image. Cette aventure est celle, bien
sûr, de toute une vie ; elle ne s'accomplit pas en une
seule étape mais lors de séjours fréquents, peut-être pro-
longés, en solitaire. La solitude nous met devant le fait
que tous, moines compris, nous sommes victimes des
artifices, de la vanité, et des illusions produits par une
société matérialiste qui entretient en nous une image

fallacieuse de la personne, non celle du soi véritable que Dieu souhaite. La solitude est une oasis où puiser la grâce d'affronter la lutte entre ces deux identités, l'une fallacieuse, l'autre véritable. La solitude est le lieu où devient possible la rencontre avec Dieu, Dieu qui est amour, vie, miséricorde, lumière, vérité, et qui nous mènera graduellement sur le chemin de la découverte de notre identité vraie. Au cœur de la solitude meurt ce moi désuet, fracturé, et par la grâce de Dieu, émerge l'identité neuve, transfigurée.

Thomas Merton, un moine cistercien célèbre, grand amoureux de la solitude, développa ce thème de la recherche de l'identité authentique dans maints traités. Il l'exprime en termes bouleversants dans « The Inner Experience : Christian Contemplation » :

> Je dois retourner au Paradis,
> Je dois me retrouver,
> Sauver ma dignité, recouvrer mon esprit égaré
> Reconquérir ma véritable identité.

Avec ce réalisme et ce grand bon sens qui les caractérisaient, les moines du désert enseignèrent également à cultiver cet amour de la solitude. Ils répétaient: «Demeure en ta cellule et n'en sors point. Reste en ta cellule et ta cellule t'enseignera tout.» La solitude dépouillée de la cellule monastique constituait, pour eux, la fournaise de Babylone, là où l'identité antérieure se verrait transmuée en l'être nouveau, à l'image de Dieu. Le disciple avait pour devoir de suivre les conseils du maître et de persévérer, en dépit des épreuves à affronter et de l'ennui fréquent qu'ils éprouvaient en leur cellule, seuls en présence de celui qui est l'Unique. Le disciple découvrait progressivement la sagesse de cet enseignement. La solitude devenait ainsi l'oasis d'où jaillirait son identité véritable, et surtout, le lieu où il pouvait, par un travail au jour le jour, trouver le salut.

Dans le marécage, en des lieux retirés,
Un timide oiseau gazouille un chant, caché
Telle la grive solitaire.
L'ermite se retire en lui-même, à l'écart des villages
Et chante quant à lui un chant.

WALT WHITMAN

La simplicité

*Nous tous qui voulons attirer à nous le
Seigneur, approchons-nous de lui comme des
disciples de leur maître, en toute simplicité, sans
hypocrisie, sans méchanceté, ni artifice, ni
complications. En effet, il est lui-même simple
et sans complexité, et il veut que les âmes qui
l'approchent soient simples et innocentes. Car
vous ne trouverez jamais la simplicité séparée
de l'humilité.*

Saint Jean Climaque, *L'Échelle sainte*

*La simplicité vraie ne s'attache pas à l'emploi de
certaines formes, mais elle consiste à délaisser
l'indulgence excessive, à préserver l'humilité de
cœur, et à garder l'environnement matériel de
nos vies au simple niveau de l'indispensable,
bien que cet environnement puisse être marqué,
avec justesse, par la grâce, la symétrie et la
beauté.*

Book of Discipline of the Religious
Society of Friends

Le message évangélique qu'illustre la vie de Jésus
comporte une invitation à choisir la simplicité
candide du cœur, de l'esprit, du mode de vie. Jésus
naquit, vécut et mourut en toute simplicité: le devoir
du disciple consiste à retracer les pas du maître, car le

disciple n'est en aucun cas supérieur au maître (Matthieu 10,24). L'acceptation intégrale de l'Évangile, comme en témoigne la vie des saints, implique effectivement une existence simplifiée et unifiée. La vie chrétienne constitue réellement un appel à une simplicité immaculée.

Nos expériences au quotidien démontrent clairement la complexité de l'existence humaine, du monde qui, à la fois, nous habite et nous entoure. Plusieurs choses exer-

cent sur nous une attirance simultanée ; nos vies portent l'empreinte de multiples facteurs culturels, spirituels et biologiques. Nous découvrons chaque jour que tout ce que nous sommes, tout ce qui nous entoure, est marqué par la diversité. Nous voyons les nations se faire la guerre, et sommes nous-mêmes en conflit avec autrui. En nous, le corps et l'esprit sont en désaccord, l'esprit et le cœur s'affrontent, l'individu se heurte à la société, l'humanité défie son environnement. Fait tangible au jour le jour, la complexité domine notre condition humaine, et nous sommes souvent incapables d'en porter la charge, d'affronter ses tensions et son potentiel destructeur.

Comment le moine chrétien réagit-il à tout cela ? Où cherche-t-il l'illumination et la résolution de ces tensions apparemment insolubles ? Seule l'acceptation intégrale de l'Évangile, de son message fondamental de simplicité, inspiré de la vie et des enseignements de Jésus, pierre angulaire de notre foi, peut offrir une réponse.

Nous aspirons, en tant que moines et moniales chrétiens, à l'unicité d'esprit que prône l'Évangile, ce que l'on pourrait appeler simplicité de l'intellect, en livrant entièrement nos esprits à la vérité. Mais il faut d'abord, en toute humilité, reconnaître et accepter les limites de notre esprit et renoncer à tous les artifices et illusions par lesquels nous nous leurrons. Rien n'est plus menaçant pour la spiritualité qu'une attitude de vanité, de supériorité, d'arrogance, attitude qui peut emprunter plusieurs manifestations subtiles. Une fois délaissé l'intérêt personnel, et après avoir admis notre incapacité à connaître ou à comprendre quoi que ce soit, alors seulement notre esprit peut-il s'adonner, illuminé par l'Esprit saint, à la recherche de la vérité pour elle-même. Nous découvrons au fil de cette quête que la vérité s'avère être une personne, car le Seigneur affirme : « Je suis... la Vérité » (Jean 14,6). Il adresse au Père une prière afin que cette vérité s'ancre en nous et nous bénisse (Jean 17,19). Telle vérité se situe bien au-delà de la capacité normale de nos facultés mentales limitées. À ceux qui le cherchent avec simplicité d'esprit et pureté de cœur, Dieu permet toutefois de le découvrir et de s'attacher à lui seul qui est vérité et qui daigne, dans sa miséricorde, nous montrer le chemin vers la vie.

L'authentique simplicité du cœur revient essentiellement à la pratique continue de l'abnégation, en toutes circonstances, et consiste en outre à se détourner de toute forme d'illusion mondaine. Elle est certainement antithétique aux tendances et à la logique du monde. La « simplicité vraie » comme aiment à le dire les quakers, ou « simplicité bénie », selon les premiers moines, permet d'affranchir nos cœurs de l'idolâtrie et de cette exaltation de soi excessive, en vogue de nos jours, même chez les gens soi-disant spirituels. Pourtant, de la simplicité réelle du cœur jaillit une ineffable aspiration vers Dieu et vers son royaume. Jésus nous dit de chercher d'abord le royaume de Dieu (Matthieu 6,33), ce que nous atteignons en nous adonnant à la prière perpétuelle (Luc 21,36). À la suite de quoi, nous ferons l'expérience des murmures de l'Esprit saint dans l'enceinte de notre cœur, quintessence même de notre être. Ainsi s'accomplit la promesse du Seigneur qu'on retrouve dans l'Évangile, « Heureux les cœurs purs, car ils verront Dieu » (Matthieu 5,8), car la simplicité du cœur est en vérité la pureté du cœur à laquelle Jésus attribue ce potentiel d'amener à la vision de Dieu.

En l'absence d'un mode de vie simple, tel que le prescrit l'Évangile, cette simplicité monastique du cœur et de l'esprit persistera toutefois à nous échapper. À l'exemple du maître, moines et moniales se délestent, dans leur vie quotidienne, de tout le superflu, et s'efforcent de vivre en entière dépendance envers Dieu. Le religieux chrétien est appelé à renoncer aux préoccupations de ce monde et aux attachements terrestres, et, animé d'une foi croissante et d'un amour fervent pour le Seigneur, il s'abandonne entièrement à la bienveillante

Providence. Entre les mains de notre Père aimant, nous remettons avec la simplicité d'un enfant, notre vie, nos appréhensions, notre besoin fondamental de sécurité, et finalement tout notre être. « Ne vous inquiétez pas pour votre vie de ce que vous mangerez, ni pour votre corps de quoi vous le vêtirez... Or votre Père céleste sait que vous avez besoin de tout cela. » (Matthieu 6,25, 32)

Vue sous cet angle, la simplicité monastique devient une réaction radicale contre la stabilité, la sécurité fallacieuses que laisse miroiter ce monde, un phare plein d'espoir menant à la liberté bénie des enfants de Dieu. Elle oriente notre cœur, notre esprit, tous nos gestes en vérité, vers Dieu en qui seul seront résolues et intégrées nos apparentes complexités. Par la simplicité se purifient nos cœurs, et notre résolution se tournera désormais vers le royaume de Dieu. Adoptée comme mode de vie, la simplicité lève le fardeau de la complexité, et de surcroît, elle nous affranchit du poids de l'attachement aux choses matérielles, éphémères ; il nous est désormais possible de tendre entièrement vers Jésus, notre Sauveur. Nous éloignant des conflits, de la violence qui règnent en nous et autour de nous, nous goûtons la simplicité de la vie authentique en Jésus-Christ, qui est paix et joie en l'Esprit saint. La simplicité évangélique vraie mène finalement à l'expérience ultime de la transparence de la vérité qu'évoquait Jésus lorsqu'il disait : « Je suis le Chemin, la Vérité et la Vie » (Jean 14,6).

En toute simplicité, nous pénétrons le silence profond du cœur pour lequel nous avons été créés.
RICHARD J. FOSTER, *Freedom of Simplicity*

Avec l'âge, je perçois plus clairement la dignité et la beauté irrésistible de la simplicité dans la pensée, dans la conduite et la parole ; un désir de simplifier tout ce qui est compliqué et d'aborder toute chose avec le plus grand naturel.

PAPE JEAN XXIII

Dieu, notre Créateur
Enseigne-nous à vivre selon l'Évangile
Dans un esprit de simplicité de cœur et d'esprit.
Délivre-nous du fardeau de nos péchés et de nos complexités
Et accorde-nous la grâce d'arriver à cette unité
Qui est à ton image

La frugalité

*L'homme frugal doit toujours prendre en
considération ce dont il peut se passer.*
HENRY SUSO

*Soyez des hommes et des femmes frugaux
et vaillants; évitez toute vanité dans votre
vêtement pour laquelle vous seriez bannis
des cieux; gardez la simplicité d'être de vos
prédécesseurs.*
SAINT NICOLAS DE FLUE, ermite suisse

P arce qu'elles émanent des enseignements de
l'Évangile, et s'inspirent de la vie de Jésus, la frugalité et la simplicité sont, dans la tradition monastique,
des vertus grandement estimées. Les moines et moniales
de l'aube de la chrétienté s'attachaient à ces agréables
vertus, et nous laissèrent en guise de testament leur
exemple et leurs enseignements.

La pratique de la frugalité au monastère encourage
une attitude, une philosophie de vie diamétralement
opposée aux valeurs de la société actuelle. Nous considérons tout à fait superflu, excessif et de surcroît nui-
sible à la vie spirituelle, ce consumérisme qu'imposent
les gouvernements, les marchés, les média, et quelques
économistes. Le quotidien du moine se veut une affirmation du fait que nous pouvons tous vivre mieux en

apprenant à vivre avec moins. Nous manifestons délibérément notre liberté intérieure en renonçant à la consommation excessive.

La frugalité choisie ne signifie pas de vivre dans l'indigence. Il s'agit plutôt d'exercer un discernement entre les choses indispensables à la vie de tous les jours et celles dont on peut se passer. Nous acquérons ce qui est utile au monastère, non ce que nous désirons personnellement. La frugalité implique également de traiter avec respect tout objet, outil ou ustensile de sorte qu'il puisse durer plus qu'une vie. Elle demande le refus de participer à quelque gaspillage que ce soit et de se montrer économe au point de recycler presque tous les produits que rejette notre société matérialiste, dépensière. Enfin, la frugalité est un outil permettant au moine d'accorder valeur et priorité, et de mettre en perspective l'essentiel, l'unique chose importante.

Il y a plusieurs années, il fallut ajouter une aile au monastère. Les ressources matérielles faisant défaut, on nous fit don des matériaux d'une vieille maison sur le point d'être démolie dans un village voisin. Nous entreprîmes, avec l'aide d'un ami, de défaire les planchers, démonter les portes, placards, fenêtres, panneaux de bois des murs, et tout ce que nous pouvions récupérer pour le nouvel édifice. Finalement, l'aile fut construite principalement à l'aide de ces matériaux recyclés, et nous avons exécuté nous-même les travaux – décapage de l'ancienne peinture, plâtrage et peinture – si bien que le coût final revint à la moitié du coût normal. L'ameublement du monastère se compose de vieux meubles usagés dont nous ont fait don des amis, ou encore ramassés dans les rues de New York et transportés ici, où nous les réparons, les restaurons, les finissons à neuf pour en faire bon usage. Un voisin sympathique, un peintre professionnel, nous donne des peintures et des teintures qu'il n'utilise plus. À notre tour, nous mixons ensemble les différents pots jusqu'à ce que nous ayons la quantité suffisante pour repeindre les pièces voulues.

En ce qui concerne la nourriture, nous possédons quelques poules qui fournissent le monastère et ses visiteurs en œufs. De notre potager, nous obtenons les légumes en saison et une partie sera congelée ou mise en conserve pour les mois d'hiver. Outre ce que nous tirons de notre potager, une importante épicerie de la région nous fait don de quantité de fruits ou de légumes qu'ils n'auront pu vendre ; nous en partageons une portion avec des indigents, en donnons une autre part à nos animaux, et nous gardons le reste pour nous. Il en va de même pour le pain ou les pâtisseries de la veille que nous offrent deux boulangeries locales. Nous recevons parfois même des gâteaux, comme cette dernière veille de Noël, que nous avons servis à tous ceux venus assister à la messe de Noël.

Tout comme l'Évangile, la vie monastique a depuis toujours été contre-culturelle. La société pousse à la dépense, à l'expansion, à la consommation, au gaspillage, alors que les religieux optent pour l'opposé, en guise d'alternative viable : dépenser, consommer moins, élaguer nos possessions, éviter d'accumuler, partager et donner le superflu, construire des habitations modestes, conserver l'énergie et autres ressources. Les moines choisissent délibérément de mener la belle vie, plutôt que l'asservissement aux impératifs des modes qu'impose la vie moderne.

L'exemple qu'offrent les moines est à mon avis opportun pour le monde moderne, qui est assujetti à la consommation, le plus souvent aux dépens des pauvres et des déshérités de notre terre. Frugalité, austérité, sobriété, productivité, autant d'enseignements monastiques qui offrent une alternative plus humaine, libératrice et à l'image du Christ que les vues séduisantes et superficielles que soutient ce monde orienté vers le matérialisme.

Puissions-nous vivre simplement et frugalement, pour que simplement vivent les autres.

L'habit monastique

*Que l'habit du moine soit confectionné de
façon à recouvrir le corps et à protéger du
froid… et non pas de façon à nourrir la vanité
ou en fonction des caprices du désir. L'habit
doit être simple et ordinaire en sorte qu'il ne
sera jamais considéré par la communauté des
hommes de même profession comme une
nouveauté en termes de couleur ou de mode.*
SAINT JEAN CASSIEN

*La mode vestimentaire du moine est donc le
signe de ce qu'il est, il participe, en partie, à
l'essence de son être monastique. De là
découle l'attention modérée, mais sérieuse,
que portaient les moines de jadis à leur tenue.*
DOM ADALBERT DE VOGÜË,
La Règle de saint Benoît

L'habit monastique signale la consécration du moine
à Dieu, et doit constituer un rappel de son acceptation d'une vie d'abnégation. Dans l'esprit de saint Benoît,
le fait d'épouser la vie monastique revient à épouser un
état de perpétuel repentir et de conversion continue. Le
moine perçoit son habit comme le symbole tacite de son
effort soutenu pour atteindre la conversion.

Saint Benoît a hérité de la tradition monastique de l'Orient et de ce fait, il voue à l'habit monastique la même estime que les Pères du désert, mais il maintient à ce sujet un point de vue plein de bon sens : « On donnera aux frères des vêtements selon la nature des lieux où ils habitent et selon le climat de ceux-ci, car dans les régions froides il faut davantage, dans les chaudes, moins. [...] Pour notre part, cependant, nous croyons que dans les lieux moyens il suffit aux moines d'avoir chacun une coule et une tunique – coule velue en hiver, lisse ou usée en été – et un scapulaire pour le travail ; pour se couvrir les pieds, des chaussettes et des souliers. » Saint Benoît montre à propos de l'habit un sens pratique, et fait preuve d'une frugalité évangélique en ce qui concerne l'obtention des tissus pour le fabriquer. « De la couleur et de la qualité de tous ces effets, les moines ne se tracasseront pas ; elles seront telles qu'on peut les trouver dans la province où ils habitent et au plus bas prix. » (Règle de saint Benoît, chapitre 55) Le moine doit appliquer à l'habit et à son code vestimentaire personnel les mêmes normes de simplicité que dans les autres domaines de son existence.

Certains milieux religieux ont depuis peu tendance à délaisser l'habit religieux au profit d'un vêtement plus séculaire. Les tenants de cette opinion aiment à citer le vieux dicton selon lequel « l'habit ne fait pas le moine ». Peut-être contient-il une part de vérité, mais l'opposé s'avère également vrai : à savoir que le port de l'habit aide à former le moine. Il est important de comprendre que le principe par lequel certaines congrégations actives se sont adaptées aux normes séculaires, en raison de la nature de leur mission apostolique, ne s'applique pas pour autant aux communautés monastiques. La vie religieuse qui s'est développée dans l'Église d'Occident et la vie monastique, depuis toujours inchangée dans l'Église d'Occident et celle d'Orient, constituent deux entités différant par le mode de vie et par l'objectif. L'une et l'autre attribuent aux choses des valeurs différentes. Le renouveau intérieur que vise chacun de ces courants procède de voies divergentes. Les normes du renouveau ne peuvent s'appliquer aux deux groupes à la fois sans les trahir, car leur vocation et leur but sont distincts. Certains ordres religieux actifs, par exemple les Franciscains ou les Jésuites, peuvent considérer plus approprié d'adopter le code vestimentaire de leurs contemporains (je crois bien que saint François aurait été tout à fait à l'aise vêtu du jean d'un pauvre ouvrier). Le moine ne

peut cependant renoncer à son habit qu'au prix du sacrifice d'un élément intrinsèque à sa tradition. L'existence monacale est un tout organique, les moines ne sont pas libres de choisir à leur gré l'aspect de leur vie à changer, selon les humeurs des modes mondaines. Cette notion de s'ajuster aux normes séculaires afin d'être en accord avec le monde ne concerne pas le moine, car sa vie doit être vécue pauvre et humble, dans le secret du Christ en Dieu, elle ne cherche pas à être un retentissant succès aux yeux de la société. Ainsi, paradoxalement, le moine peut prétendre à un rôle pertinent.

Peut-être moins habit qu'uniforme, le vêtement religieux des ordres actifs indique davantage l'ordre ou l'institution d'appartenance. Il n'en va pas de même avec l'habit monastique. L'homme faible qu'est le moine a besoin d'un rappel constant de sa conversion et de sa résolution de mener une existence sans faille. L'habit ne sert donc pas de marque distinctive à l'intention des autres ; sa valeur est personnelle, elle ne s'adresse qu'au moine. L'habit est en réalité le symbole de son âme, et trace une démarcation visible entre le monde que le moine a laissé et la nouvelle vie d'ascèse qu'il a épousée. En outre, l'habit monastique rappelle quotidiennement au moine la vie de conversion et de repentir qu'il a choisie, et il représente de surcroît son appartenance exclusive à Dieu. Symbole des attributs nuptiaux de l'Évangile, l'habit rappelle au moine qu'il doit en tout temps être prêt pour le banquet de noces, car le jeune marié « vient la nuit, à la dérobée », et le jour et l'heure de sa venue demeurent un mystère. Nous savons tout simplement que pour le banquet nuptial, il nous faut revêtir le costume approprié.

À l'aube du monachisme, on comprenait que le geste par lequel l'ancien vêtait le novice de l'habit monastique le jour de sa profession, portait le sens d'une transmission de la grâce spirituelle provenant de tous les moines qui l'avaient précédé.

PÈRE PLACIDE DESEILLE,
L'échelle de Jacob et la vision de Dieu

L'habit monastique possède ce double propos qui est d'une part, avertir les gens du monde de ce qu'ils peuvent attendre de l'homme qui le porte ; d'autre part, avertir l'homme qui le porte que sa conduite est soumise à des règles.

DOM HUBERT VAN ZELLER, *The Holy Rule*

La liberté intérieure

Si vous demeurez dans ma parole, vous êtes
vraiment mes disciples et vous connaîtrez la
vérité et la vérité vous libérera.

JEAN 8,31-32

ésus enjoint ceux qui souhaitent atteindre à la liberté
intérieure de chercher d'abord la vérité de sa Parole,
la vérité en soi, car il affirme : « Je suis... la Vérité »
(Jean 14,6). Cette Vérité nous procurera la liberté.

Cependant, afin de parvenir à cette liberté, il nous
faut tout d'abord admettre que nous sommes captifs. Une
évaluation personnelle, humble et sincère, une analyse
intérieure en profondeur, révéleront que nous sommes
fondamentalement asservis : asservis à notre état de
pécheur, à nos habitudes et à nos vices ; esclaves de nos
préjugés, de notre intolérance ; assujettis à la culture
actuelle, aux idées du monde ; asservis notamment à l'image
de soi, que nous avons créée de nous-mêmes, cette identité idéalisée que nous nous représentons et que nous
souhaitons faire passer pour notre nature véritable, qui
n'est pourtant que fallacieuse. Rien n'est plus difficile
que de porter sur nous-mêmes un regard franc. Il est
encore plus ardu de nous accepter comme Dieu nous
accepte entièrement. Cela exige un courage téméraire et
une honnêteté limpide. C'est, en réalité, une grâce.

Tout d'abord, il est avantageux de comprendre que le
Christ nous perçoit tels que nous sommes et qu'il nous

aime malgré tout. Il nous aime en dépit de nos péchés, de notre laideur, de nos limites. Et si Jésus nous accepte et nous aime tels que nous sommes, peut-être alors pouvons-nous également nous accepter et nous aimer nous-mêmes, malgré tout, pour ce que nous sommes réellement.

Le chemin menant à la liberté intérieure emprunte la voie de l'humilité et de la vérité. Nous devons accepter ce que nous sommes et accepter les autres tels qu'ils sont avec simplicité, avec humour parfois, mais cependant avec amour toujours. L'amour signale la présence de Dieu dans notre vie et nous permet de toucher les autres au-delà des frontières étroites de notre ego.

Une fois cette acceptation et cet amour de nous-mêmes et d'autrui atteints, en nous s'épanouit le don de liberté intérieure, grâce à l'écoute sans appréhension, et à l'intégration dans notre vie des paroles évangéliques de Jésus. Ses paroles, qui sont vérité, moduleront notre réalité de sorte que le bonheur du paradis nous devienne accessible par anticipation, le bonheur suprême de nous savoir enfants de Dieu, bénéficiant de son amour inconditionnel.

Seigneur, Jésus-Christ
Tu es la Voie, la Vérité et la Vie,
Guide-nous par l'exemple
De ta vie et par la sagesse de tes enseignements
Sur la voie de la découverte de soi
Et de l'acceptation de nous-mêmes
Tels que nous paraissons à tes yeux.
Aide-nous à demeurer dans ta Parole
Source de toute vérité,

Pour qu'ainsi, le moment venu, nous puissions atteindre
À la liberté intérieure
Promise à ceux qui renoncent à tout
Pour te suivre, toi seul, jusqu'à la fin.

La sérénité

*Détache-toi de l'affection d'un grand
nombre, de peur que ton ennemi
ne s'agite contre ton esprit et ne trouble
ta paix intérieure.*

ABBA DOULAS,
Les apophtegmes des Pères du désert

À l'orée du XXIe siècle, la vie a atteint des sommets de complexité, de tapage, de consumérisme, d'angoisse et, bien sûr, de solitude. La pratique de la paix intérieure, de la sérénité, s'avère être un accomplissement des plus ardus, bien que nous aspirions tous intensément à cet état.

Il nous est difficile d'atteindre à la sérénité et à la liberté intérieure en partie du fait des valeurs, des rythmes, des images fallacieux que notre société promulgue et auxquels nous nous sommes accoutumés. Nous croyons en avoir besoin dans notre vie cependant qu'ils sont indubitablement superflus. Comment atteindre à la paix intérieure lorsque nous recherchons la compagnie des foules, lorsque nous sommes constamment pressés par le temps, et que nous planifions incessamment de nouvelles activités? Nous évitons ainsi de nous retrouver face à nous-mêmes. Cette tendance que les gens cultivent au quotidien est en réalité un déséquilibre, symptôme que quelque chose cloche sérieusement. Voilà l'ennemi avéré de la sérénité.

Si notre quête de la paix est sincère, nous devons tout d'abord cesser, du moins temporairement, toute activité inutile. Il faut réfléchir, prier et poser des objectifs sur la manière de transformer notre vie. Cette transformation se veut radicale, sinon elle n'amènera aucun résultat. Il faut rétablir nos priorités et organiser une vie de simplicité, centrée, où le calme, la prière et la solitude seront les valeurs à l'honneur. Il nous faut reprendre ou découvrir un rythme intérieur authentique pour notre vie et laisser l'emporter sa pulsation libératrice.

Il faut d'abord créer, ou dénicher, des lieux de quiétude où nous pourrons trouver refuge quelques heures par jour, quelques jours ici et là chaque semaine ou durant le mois. L'atmosphère de tels endroits sera source d'une fondation pour le mental et l'esprit. Au fil de notre quête de sérénité, il est important d'identifier, d'affirmer et de soutenir cette fondation intime de notre être. Seul un espace où calme et solitude seront soigneusement entretenus pour permettre ce processus — ce qui justifie la valeur de monastères et de maisons de retraite offrant de tels sanctuaires. Il est encore possible d'y entendre le son du silence, d'éprouver les espaces de la solitude et d'aborder un état propice à la rencontre avec Dieu, source de toute sérénité et paix.

Nous découvrons, dans la solitude et la quiétude du monastère, qu'une vie de beauté, d'harmonie et de simplicité, une vie centrée, est possible. Un tel cadre nous laisse également apercevoir l'éventualité d'un retour à la soi-disant vraie vie, qui ne soit pas soumis à sa séduction, à ses angoisses, à sa confusion, à sa complexité, tout en demeurant en communion avec Dieu en qui n'existe nulle angoisse, nulle complexité, mais seulement paix,

amour, joie, sérénité, quiétude. Enfin, le périple de notre
vie prend le sens qu'il doit avoir. Et ceci exige un choix.

Nous nous tournons vers Toi, Ô Dieu, en quête de
la paix…
accorde-nous la certitude bénie
que rien ne viendra nous priver de cette paix,
ni nous-mêmes, ni nos désirs futiles,
ni mes sauvages appétits
ni les soifs impérieuses de mon cœur.

SØREN KIERKEGAARD

La Transfiguration et l'Assomption:
fêtes radieuses

*En ce jour au mont Thabor, rayonnant
d'une lumière atténuée, à ses Disciples,
comme il l'avait promis, il dévoile un reflet
de sa divine splendeur; comblés par la divine
clarté, ils dirent dans la joie: chantons pour
notre Dieu, car il s'est couvert de gloire.*

Matines byzantines
de la Transfiguration

Le mois d'août, au cœur même de l'été, apporte avec lui ses vagues de nostalgie. Surgissent en nous des souvenirs d'étés passés, de merveilleuses vacances à la campagne, à la montagne, à la plage. Août éveille la mémoire d'heureuses réunions avec la famille ou les amis, propres à cette saison, de balades tranquilles dans les jardins et les bois, de pauses délicieuses pour pique-niquer. Hélas, en août, tant de souvenirs se bousculent !

Août amène dans son sillage tous ces souvenirs personnels, mais il entraîne aussi la joie de deux fêtes importantes de l'été : le six, la Transfiguration du Seigneur, et l'Assomption glorieuse de Notre-Dame, le quinze.

La Transfiguration du Christ démontre le désir du Père de glorifier son Fils avant de le laisser subir sa Passion. Le voile se lève un court instant, et Jésus paraît nimbé d'une beauté sublime – lumineux, rayonnant au point que les disciples assistant à l'événement perçoivent immédiatement que la gloire de Dieu auréole son visage. Une voix se fait entendre depuis les nuées: «Celui-ci est mon Fils bien-aimé, qui a toute ma faveur, écoutez-le.» (Matthieu 17,5) Ces paroles solennelles énoncées par le Père, qui correspondent presque exactement aux paroles qui résonnèrent de l'au-delà au baptême de Jésus, attestent au fait que Jésus est l'unique Fils de Dieu, Dieu véritable issu de Dieu véritable, tel que le proclame le Credo. L'une des hymnes byzantines pour l'occasion dit:

> Allons donc dans la montagne céleste et sacrée
> Demeurons, en esprit, dans la cité du Dieu vivant,
> Contemplons mentalement la divinité
> Du Père et de l'Esprit
> Rayonnant par le Fils unique.

Le mystère de la Transfiguration cache un sens supplémentaire: la transformation cosmique du monde à la fin des temps. Un autre texte byzantin dit: «Afin de montrer la transformation de la nature humaine lors de ta seconde venue, tu t'es transfiguré, Ô Sauveur! Et tu as sanctifié de ta lumière l'univers entier.»

Aujourd'hui sous l'empire du péché, la nature humaine connaîtra la libération et le renouvellement lorsque viendra le Christ, dans toute sa gloire, à la fin des temps. La lumière du Thabor, celle qui émanait du visage de Jésus, sanctifie ceux qui s'approchent de lui à la façon des disciples. C'est cette lumière qui sustente notre espoir en l'avenir de ce monde.

La tradition chrétienne orientale célèbre, simultanément à la Transfiguration, la fête de la moisson. Les chrétiens orientaux choisissent en ce jour de rendre grâce au Seigneur pour la récolte. Pour ce faire, ils apportent à l'église leurs premiers légumes, leurs fruits, herbes ou fleurs, pour les offrir au Seigneur. À notre monastère, nous procédons à la bénédiction traditionnelle des produits de notre potager après la Liturgie. Cela symbolise le renouvellement de la terre par la présence du Christ, une terre qui dédie en hommage ses premiers fruits à son Seigneur et maître.

L'autre fête importante du mois d'août est consacrée à la Mère de Dieu. Le quinze, nous célébrons la dormition, l'endormissement de Notre-Dame et son assomption aux cieux. Rien ne décrit mieux ce mystère profond que les textes byzantins, une fois de plus, notamment celui que l'on chante pendant les vêpres.

Quelles hymnes spirituelles t'adresser, Vierge toute sainte, à présent ?
Par ton immortelle dormition, tu sanctifies tout l'univers
Et vers le ciel tu es passée pour contempler la beauté du Tout-puissant
Et telle une Mère te réjouir avec lui...

Merveilles, vraiment !
La source de Vie est déposée au tombeau et sa tombe devient l'échelle du ciel...
Vierge sainte et très pure Mère de Dieu,
Toujours vivante avec ton fils, le Roi de la vie.

Mère Nature nuance subtilement son visage, au fil de la célébration de ces fêtes tout à fait monastiques de la saison estivale : de nouveaux arrivants apparaissent dans le potager, dans la campagne, dans les boisés. Août marque la floraison des verges d'or, de la salicaire dans les prés, et les longues soirées chaudes vibrant du chant strident des criquets. Août accueille les fruits si bienvenus, les mûres succulentes, puis les pêches, les prunes et les melons bien mûrs. C'est également la saison où abonde le maïs nouveau.

Août marque l'apogée de notre saison de travail dans le potager. Rude labeur, il s'avère pourtant profondément enrichissant. Au fil des années, nos potagers se sont considérablement étendus, et exigent maintenant une attention constante. Le jardin des plantes vivaces voit fleurir ses protégées tour à tour sans interruption de la fin du printemps jusqu'à la fin de novembre. Les autres jardins abritent un mélange de plantes annuelles, bisannuelles, vivaces et sauvages. Elles emplissent de charmantes couleurs et de leurs fragrances délicieuses les allées et recoins des jardins. Le parfum ravissant des lilas, des roses et des nicotianas fleuris nous assaille dès que nous sortons à l'extérieur. Le jardin d'aromates bordant la chapelle à gauche dégage des effluves pareillement enivrantes : lavande, menthe, romarin, thym, verveine. Au petit matin, au crépuscule et après la pluie, elles sont définitivement marquées.

Cette saison extraordinaire qu'est l'été amène de subtiles transformations de la nature et provoque une croissance, un changement en chacun de nous. L'opulente exubérance et l'intensité que prend la vie en été influence profondément notre expérience humaine : nos pensées intimes, nos intuitions, nos échanges avec les autres, notre rapport à notre identité et à Dieu. L'été met en relief notre sens de la réalité et suscite la découverte renouvelée de notre raison de vivre. Lorsque décline enfin l'été au monastère, et que disparaît la lune estivale, nous voilà prêts à passer au cycle suivant, la douce maturation des semences plantées au sol de notre vie par l'Esprit saint.

> Pendant ces longues et paisibles journées d'été, je goûtais une solitude intense. Les cigales écorchent l'air immobile ; les oiseaux se sont tus et dans les boisés tout près, les écureuils cassent des noix vertes. Ce n'est que l'âge mûr de l'année, l'époque de plein soleil, de moisson, d'achèvement... Je sens en moi le désir de demeurer silencieux un siècle durant afin de contempler tout ce que je n'ai jamais vu, ou entendu, ou senti, ou pensé. Ce n'est pas l'accumulation de nos perceptions qui épanouit nos vies, mais bien leur pénétration en nous.
>
> DAVID GRAYSON, *The Countryman's Year*

L'automne

Le travail dans la vie monastique

Le travail de l'amour

Bien-aimés, aimons-nous les uns les autres,
puisque l'amour est de Dieu et que quiconque
aime est né de Dieu et connaît Dieu. Celui
qui n'aime pas n'a pas connu Dieu, car Dieu
est Amour.

1 Jean 4,7-8

Dieu est le lieu de naissance de l'amour. Là
il naît, là il est nourri, là il se cultive. Là il se
trouve chez lui, non pas comme passant,
mais natif. Car par Dieu seul l'amour est-il
accordé, et en lui seul, perdure-t-il.

Guillaume de Saint-Thierry,
Nature et dignité de l'amour

Un des premiers moines décrivait ainsi le propos de la vie monastique : « de s'attacher à cette voie excellente que celle de l'amour ». Pour retracer véritablement les pas du Christ, le moine et la moniale doivent emprunter le chemin de l'amour. Dans les Évangiles, cette voie de l'amour est escarpée, elle est jonchée d'embûches. L'amour ne s'obtient pas par le seul fait de le vouloir, il ne s'acquiert pas par un simple acte de volonté. L'amour, il faut y travailler jour après jour.

Le travail dynamique de l'amour forme l'axe de l'existence monacale. Touché par la grâce, le cœur du moine et de la moniale comprendra la douloureuse réalité de son état fracturé, de son péché et jouira simultanément de la tendresse et de la bienveillante miséricorde d'un Dieu qui seul pourra le pardonner et le délivrer de ses propres pièges. La dynamique qui déclenche l'aventure monastique et qui propulsera le moine vers son achèvement est cette profonde prise de conscience de l'amour de Dieu, un amour personnel et tout puissant à l'endroit de la plus infime de ses créatures. Baignés de l'amour de Dieu, le moine et la moniale découvrent que d'imiter Dieu et d'emprunter sa voie exige de se vouer au travail de l'amour. Leur unique but deviendra alors d'éprouver de l'amour et de la compassion envers chacun de leurs frères et sœurs, et toute créature, à l'exemple de Jésus.

Un tel objectif est difficilement réalisable pour le moine ou la moniale qui, dans sa pauvreté, se voit constamment confronté à ses limites. Jour après jour, il doit recommencer le travail de l'amour. Dans l'accomplissement de cette œuvre, le moine ne peut dépendre de sa propre force ni de ses ressources. Dans sa lutte, il doit s'en remettre à l'Esprit saint, Esprit d'amour, et l'enjoindre de mener l'œuvre à son achèvement. Il doit se fier à Dieu seul.

Le Christ nous a montré la voie de l'amour, qu'il a poursuivie jusqu'au bout avec son sacrifice sur la Croix. Par imitation du maître, le moine est appelé à mettre l'amour en pratique par le biais de l'abnégation et en prenant la Croix du Christ. Selon la tradition monastique, la réalisation d'une vocation doit permettre un tel accomplissement. Le moine ou la moniale accepte l'obéissance et renonce ainsi à sa volonté propre pour ne suivre que la volonté de Dieu. Il accepte la conversion de vie, y compris la pauvreté et la chasteté qui sont parties de toute existence monacale, et de ce fait, il abdique à toute velléité de propriété ou de possession et renonce à l'union sexuelle et à avoir des enfants. Il accepte la stabilité au monastère, et de ce fait, le moine délaisse la mobilité et son indépendance. Les vœux monastiques par lesquels le moine apprend à s'oublier lui-même et à s'attacher fidèlement à Dieu seul deviennent ainsi l'expression la plus pure de son amour pour le Seigneur.

Le travail de l'amour s'étend à la pratique quotidienne de la charité à l'égard du prochain, ce en quoi il trouve son expression. Le chrétien ne fait pas de distinction entre l'amour de Dieu et l'amour envers son frère. Les gens de l'intérieur ou de l'extérieur du monastère possèdent une égale réalité aux yeux du moine, car Dieu a marqué chacun de son image et de sa ressemblance. En raison de cela, le moine tente de n'exclure personne de son amour, ni l'étranger ni ses ennemis. Sens véritable de l'existence du moine, le travail de l'amour est intensément réel ; il absorbe totalement le moine.

Au chapitre 53 de sa Règle, saint Benoît mentionne, sans prétention : « Tous les hôtes qui se présentent seront reçus comme le Christ, car lui-même dira : "J'ai été votre hôte, et vous m'avez reçu". » Saint Benoît poursuit : « C'est surtout en accueillant les pauvres et les pèlerins qu'on montrera un soin particulier, parce qu'en eux on reçoit davantage le Christ. » Le travail de l'amour, couronnement de la vie d'un moine, peut aussi emprunter la forme de l'hospitalité monastique. L'hospitalité fournit au moine une occasion concrète d'exercer le travail de l'amour auprès de personnes extérieures au monastère. Ceci représente parfois un défi majeur. Cependant, afin de dissiper tout doute de l'esprit du moine, saint Benoît l'assure qu'en réalité, c'est au Christ qu'il fait la charité.

L'amour est moins un sentiment qu'un travail définitif qui, avec les progrès accomplis, devient plus fascinant ; à partir de ce moment, toute « activité » prend ses proportions réelles : elles sont de peu d'importance. Le travail de l'amour exige de percevoir en chacun le centre (Dieu) comme étant leur réalité unique, pour ensuite aimer cette personne dans sa réalité.

MÈRE MARIA, Her Life in Letters

LE TRAVAIL
DE L'HOSPITALITÉ

Tous les hôtes qui se présentent seront reçus comme le Christ, car lui-même dira: «J'ai été votre hôte, et vous m'avez reçu»; et à tous on rendra les égards qui s'imposent, surtout aux proches dans la foi et aux pèlerins.
Règle de saint Benoît, chapitre 53

L a pratique ancienne de l'hospitalité permet au moine ou à la moniale de partager sa vie avec ses frères ou ses sœurs. La tradition bénédictine veut que les portes du monastère soient ouvertes à tous ceux qui viennent en quête de la paix de Dieu, sans distinction de croyance ou de milieu culturel. Pour les hôtes, la prière, le silence, l'accueil chaleureux et fraternel font du monastère une véritable oasis de paix.

L'hospitalité monastique diffère d'autres formes d'hospitalité, car elle s'inspire d'abord de la foi, elle n'est pas motivé par un quelconque protocole ou par des considérations mondaines. La chaleur de l'amour chrétien et la simplicité évangélique caractérisent cette hospitalité. Saint Benoît recommande aux moines d'accueillir les visiteurs, qui représentent le Christ, avec «la tête inclinée ou le corps prosterné à terre, on adorera en eux le Christ lui-même qu'on reçoit» (Règle de saint Benoît, chapitre 53).

Les portes des auberges du monastère sont humblement ouvertes aux personnes de bonne volonté qui viennent en quête de la paix de Dieu, cette *pax* qui demeure l'idéal de tout monastère bénédictin. Les visiteurs peuvent se présenter seuls ou en petits groupes; les moines demandent qu'ils respectent l'atmosphère contemplative du monastère et son horaire quotidien. La prière et le travail étant les activités principales dans tout monastère, on invite les hôtes à y participer et à contribuer aux tâches.

Loin du tumulte des villes et des routes achalandées, le monastère offre à ses convives:

un lieu de repos et de quiétude
un lieu de silence
une atmosphère chaleureuse et empreinte de simplicité
une maison de prière où les hôtes peuvent participer aux cycles de la vie monastique
et trouver le temps d'écouter les Paroles de Dieu dans la solitude de leur cœur.

Un frère vint à un anachorète, et en le quittant lui dit: «Pardonnez-moi, Père, car je vous ai fait enfreindre votre règle.» L'anachorète lui répondit à son tour: «Ma règle consiste à te recevoir avec hospitalité et à te renvoyer en paix.»

H. WADDELL, *Les Pères du désert*

LE TRAVAIL DE LA PRIÈRE

... à mon avis, rien ne demande autant de travail que de prier Dieu: si l'homme désire prier son Dieu, les démons, ses ennemis, se hâteront toujours d'interrompre son oraison, car ils savent bien que rien ne leur fait obstacle hormis la prière qui monte vers Dieu. En effet, quelque travail que l'homme entreprenne dans la vie religieuse, même si cela lui demande beaucoup d'ardeur et de constance, il finira par obtenir quelque repos; la prière, elle, exigera jusqu'au dernier souffle un combat pénible.

ABBA AGATHON,
Les apophtegmes des Pères du désert

Ne dis pas après avoir longtemps persévéré dans la prière, que tu n'es arrivé à rien; car tu as déjà obtenu un résultat. Quel plus grand bien, en effet, que de s'attacher au Seigneur et de persévérer sans relâche dans cette union avec lui?

SAINT JEAN CLIMAQUE, *L'Échelle sainte*

Symphonie intérieure de la vie du moine, la prière constitue le seul motif, l'objectif unique vers lequel tous ses efforts et toute son énergie tendent. Saint Benoît conçoit que la recherche de Dieu constitue l'intention première d'un être humain qui le pousse à entrer au monastère. Tout le reste demeure secondaire, subordonné à cette fin. De quelle manière procède cette quête de Dieu; comment le trouver dans cette vie? Comment cette vie s'exprime-t-elle? Comme tout chrétien, le moine reçoit d'abord le don de la foi. Il y trouve son ancrage et, de fait, la foi incite et sustente sa réaction totale à Dieu. La foi lui dit que Dieu ne se limite pas à une idée abstraite ou à un être éthéré, mais qu'il est un Dieu vivant en présence duquel lui, le moine, se trouve.

Que Dieu ait pris forme humaine constitue le grand mystère de la doctrine chrétienne, car Dieu est devenu humain afin que l'homme puisse devenir Dieu. Cela témoigne de l'amour infini, de l'affection inépuisable de Dieu à l'égard de ses créatures. Tel que l'affirme saint Pierre, les êtres humains partagent cette nature de Dieu, grâce à une élévation à l'état de « filiation divine » par adoption. Dans son amour, Dieu a permis que les hommes puissent entrer en rapport avec lui. Dieu infuse chaque être humain de son Esprit saint, et cet Esprit nous autorise à dire: « Abba, Père. »

À la lumière de ce nouveau rapport à Dieu s'éclaire la vie du moine, car il comprend cette relation filiale au Père et il entend du fond de son cœur l'invitation divine à vivre uniquement pour Dieu et avec lui. Dieu dit: « Viens, je suis la Vie. » La vie du moine s'épanouit désormais depuis cette intimité nouvelle avec Dieu. La vie de prière est l'expression de cette relation, l'expression précise de l'ensemble des rapports humains à Dieu. Il est donc tout à fait naturel que la vie entière du moine chrétien se centre sur la prière, sur une union étroite et consciente avec Dieu.

Les Saintes Écritures nous éclairent davantage au sujet de la prière, car la Parole de Dieu est le pain quotidien du moine et de la moniale. Dans sa première lettre aux Thessaloniciens, saint Paul recommande à tous les chrétiens de «prier sans cesse». Simple chrétien, le moine prend à cœur cet avis et en fait sa raison de vivre. La prière devient son centre même, la source d'où jaillit son être, son point de vue sur toute chose, l'achèvement vers lequel tend toute sa vie. Une fois l'invitation du maître divin émise: «Pour toi, quand tu pries, retire-toi dans ta chambre, ferme sur toi la porte, et prie ton Père qui est là, dans le secret» (Matthieu 6,6), cette excursion perpétuelle en son cœur intime en quête de Dieu est ce qui caractérise la vie du moine. C'est peut-être là la marque distinctive de la vie monastique, par rapport aux autres formes d'existence chrétienne: l'intensité de l'aventure intérieure du moine et l'insondable depuis lequel il est appelé à prier.

La prière crée en nos cœurs une ouverture à Dieu et à autrui. Le moine ne fait pas de distinction entre Dieu et l'humanité, ils ne sont pour lui qu'un, ils sont mutuellement inclusifs. Loin d'engendrer la dichotomie, la prière unifie tout, révélant l'interrelation sous-jacente à toute chose. À la lumière de Dieu, on en vient à considérer la diversité de toute chose comme l'Un. Lorsque parachevée par la grâce, la prière mène à percevoir la présence du Christ en chaque être humain.

Bien que constituant une occupation journalière, la prière n'en est pas pour autant facile pour le moine – et il en va de même pour chaque chrétien. Il est vrai que la prière peut parfois mener à de profonds états de félicité et de paix, cependant, elle s'avère souvent un combat.

La prière ne nous est pas toujours immédiatement accessible. Même au monastère, la vie ordinaire entraîne chaque jour son lot de soucis, de vicissitudes et de distractions qui font souvent obstacle à la prière véritable. La paresse, l'ennui nous envahissent et nous sommes incapables de nous absorber en notre cœur pour prier. La lassitude peut engendrer une résistance à certaines disciplines ascétiques qui accompagnent tout effort de prière.

L'aspect le plus ingrat en est très certainement la nécessité de nous percevoir tel que nous apparaissons devant Dieu. Voilà l'obstacle qui le plus souvent détourne les gens de la prière. Il est plus difficile encore de savoir qu'après avoir admis ce que l'on est, il faudra changer.

La prière prend sa source dans l'expérience du quotidien. Les moines affrontent pour leur part les mêmes difficultés que quiconque tente de prier. Et ce combat se renouvelle chaque jour. Les religieux prennent conscience du fait que « le royaume des cieux exige la difficulté », qu'il est normal de s'acharner pour y accéder. Les moines, tous les chrétiens en vérité, ont entendu le Christ dire à ses disciples qu'il faut « veiller et prier » pour éviter ainsi les pièges insidieux du Malin. Comme le furent leurs prédécesseurs au désert, les moines se voient souvent confrontés aux multiples visages du Malin. Ils sont ainsi rappelés à la vérité évoquée par le Christ, à l'effet que « certains démons ne seront vaincus que par le jeûne et la prière ».

Toute vie chrétienne est un appel à la conversion, à la *metanoia*, à une renaissance, à l'épanouissement d'un être nouveau en le Christ. Bien sûr, les résultats ne sont pas immédiats, il s'agit d'un processus évolutif censé se produire chaque jour de notre vie. Voilà en quoi le moine et la moniale rendent service à l'Église et à la société en général : nous signalons ces valeurs fondamentales à autrui ainsi que notre appel à la conversion totale en vue de goûter la vie divine et de devenir des êtres nouveaux en le Christ. Le christianisme prend tout son sens à la seule lumière de cette transformation possible. La précipitation de notre vie quotidienne brouille souvent la visée, la direction fondamentale de toute vie chrétienne. À travers une vie ordinaire de fidélité, de prière, de simplicité et de travail, de discipline, de silence et d'hospitalité, les moines tentent de résoudre ce processus de conversion. Mus par l'Esprit saint, ils orientent leur existence entière vers Dieu, l'unique Absolu. Les moines se souviennent chaque jour de « la voie étroite » mentionnée dans l'Évangile, conscients qu'elle mène sans équivoque à la transformation finale en le Christ.

Nous savons cependant que chaque chrétien est voué à la même destination, d'une façon ou d'une autre. L'Évangile du Christ ne s'adresse pas exclusivement aux moines ou aux moniales ni à un groupe spécifique, mais il vise tous les êtres sans discrimination. La spiritualité n'est pas exclusivement monastique, mieux vaut parler d'une spiritualité chrétienne émanant directement des enseignements de l'Évangile. Les moines prennent à cœur le conseil de l'Évangile et se consacrent sincèrement à une vie de prière, en quête de « la seule chose nécessaire ». Leur exemple sert ainsi à rappeler à leurs frères humains l'essence de la vie chrétienne.

La prière de celui qui prie de toutes ses forces
Possède un grand pouvoir.
Elle attendrit le cœur aigri,
Et allège le cœur chagriné,
Elle fait du cœur pauvre, richesse,
Et du cœur insensé, sagesse
Elle enhardit le cœur timide,
Et soulage le cœur affligé.
Elle éclaire le cœur aveuglé,
Et rend l'ardeur au cœur froid.
Elle appelle le Dieu grandiose en le cœur étroit,
Et élève le cœur affamé à la plénitude de Dieu.
Elle réunit deux amants,
Dieu et l'âme,
En un lieu merveilleux où ils se parlent d'amour.

MECHTHILDE VON MAGDEBURG,
béguine du XIIIe siècle

LE TRAVAIL DE DIEU :
LA PSALMODIE

*… le vrai moine, lui, doit prier sans interruption
ou du moins psalmodier dans son cœur.*
ABBA ÉPIPHANE,
Les apophtegmes des Pères du désert

*Les Psaumes sont le jardin du solitaire et les
Écritures, son paradis.*
THOMAS MERTON, *Thoughts is Solitude*

L e Psautier, le Livre des Psaumes dans le langage
monastique, est le lieu où, chaque jour, les moines
rencontrent Dieu. À travers les paroles des psaumes
s'élevant en une prière, le moine partage dès lors l'expérience du peuple élu de la Bible, pour qui les psaumes
faisaient office de prière quotidienne. Les psaumes évoquent, pour le moine, la supplique du peuple de Dieu :
leurs exclamations de terreur, d'angoisse et de douleur,
leurs clameurs de joie, de louange, de gratitude, voire
leurs cris de désespoir, de ressentiment, de révolte
contre Dieu. La totalité de l'expérience humaine trouve
son expression dans les psaumes.

Plus que tout autre recueil de prières, les Psaumes traduisent la relation qui prévaut entre Dieu et l'humanité
depuis l'aube de la création. Le moine conçoit que la
prière qui s'élève des psaumes revient à entrer dans ce

dialogue continu au fil de l'histoire. L'histoire révèle les actes divins au sein de son peuple et en son nom. Dieu créa l'homme et la femme, il les convie à une vie en union avec lui. Ils lui désobéissent, et Dieu les expulse du paradis. Cependant, un Sauveur leur est promis. Entre-temps, Dieu veille sur son peuple, établit avec celui-ci une alliance, alliance que parachève l'arrivée du Sauveur annoncé.

Les Psaumes expriment tout cela et bien davantage en une prière. Cette réalité divine qui s'y révèle et devient tangible est pour le moine la manne tombée du ciel afin d'alimenter chaque jour sa vie intérieure. Par les psaumes, le moine peut confier à Dieu tous ses sentiments et en outre, ceux de l'humanité entière. Les psaumes, aux yeux du moine, lancent un appel à Dieu pour la délivrance au nom de tous les peuples.

Saint Benoît instaura un horaire quotidien centré sur le Travail voué à Dieu, qu'il considérait comme l'occupation principale d'un moine ou d'une moniale. Le Travail voué à Dieu – ou office divin, comme on le désigna plus tard – consistait en huit périodes de prière formelle réparties au cours de la journée, dont les psaumes formaient l'élément majeur. D'autre part, ces périodes contenaient des hymnes, des lectures, des répons, diverses prières ; cependant, la psalmodie, le chant des psaumes, demeurait le principal constituant du Travail voué à Dieu. Pour saint Benoît et les premiers moines, le chant des psaumes en guise de louange à Dieu servit moins comme méthode de prière qu'il ne fut une expérience authentique de Dieu par la prière. Selon Thomas Merton, la psalmodie « nous amène en contact direct avec Celui que nous cherchons ». En d'autres termes, la psalmodie constituait la voie ordinaire par laquelle le moine rejoignait la présence du Dieu vivant. Saint Benoît enjoint donc le moine : « On ne doit rien préférer au Travail de Dieu. »

Les moines des temps jadis chantaient les cent cinquante psaumes en un jour, parfois même plusieurs fois. Saint Benoît, avec son sens de l'équilibre et de la modération, répartit les cent cinquante psaumes sur une semaine. En outre, il détermina leur ordre en rapport au caractère de l'heure du jour et au rythme des saisons, notamment des saisons liturgiques. Le premier office était celui de la nuit, qu'on nomme désormais vigiles ; à l'époque de saint Benoît, on le célébrait vers 2 heures du matin. Certains monastères et quelques moines ont, à ce jour, préservé le caractère nocturne de cet office. D'aucuns le célèbrent tard le soir, avant le coucher, d'autres, aux petites heures du matin, au lever.

Les petites heures – les offices de prime, tierce, sexte et none, étaient récitées au cours des première, troisième, sixième et neuvième heures du jour. Ces heures correspondent approximativement à 6 heures et 9 heures du matin, à midi, et 3 heures de l'après-midi, selon la saison de l'année. De nos jours, prime a été supprimée parce qu'elle répète l'heure plus importante, laudes. Certains monastères, à la suite de modifications liturgiques de l'Église par le dernier concile œcuménique, n'ont gardé qu'une seule petite heure, le plus souvent célébrée à l'office de midi.

Parfois considérée comme l'office le plus solennel de la journée, l'heure des vêpres se célébrait au coucher du soleil et au lever de l'étoile du berger. Magnifique office de la journée monastique, les vêpres tirent leur origine de la tradition juive du culte de la synagogue qui fut adapté et perpétué par les premiers chrétiens et les moines de l'Église originelle. Le psaume officiel pour les vêpres est le Psaume 140, qui mentionne « l'offrande du soir ». Outre le Psaume 140 ainsi que divers autres psaumes, une hymne du IIe siècle adressée au Christ, le *Phos Hilaron*, est chantée chaque jour à notre monastère. Cette hymne ravissante attribue au Christ l'épithète de « lumière du soir ». L'office se termine par le Magnificat, le chant de Marie adressé à Dieu pour sa bonté et ses prodiges. Lorsque les ténèbres recouvrent la terre à la fin du jour, avant le coucher, nous célébrons l'ultime office de notre journée monastique, les complies. Les psaumes des complies sont toujours les mêmes : les Psaumes 4, 90, et 133. Accompagnés de l'hymne appropriée pour l'heure, ils servent très justement de prière nocturne pour le moine.

Comme ils le furent à la synagogue ou aux origines de l'Église, les psaumes sont toujours chantés, que ce soit au monastère par la communauté ou encore à l'ermitage par le moine anachorète. Ils furent composés en guise de louange chantée à Dieu, et leur signification n'apparaît que lorsqu'ils sont chantés. La beauté du chant est d'importance moindre que la ferveur ou le recueillement qui l'anime.

Au fil des jours, des mois, des années de la vie du moine, et à mesure que l'adoration de Dieu par le chant des psaumes façonne plus profondément encore son existence, jaillit des tréfonds de son être la vérité des paroles de celui qui chante le psaume.

Que tes demeures sont désirables,
Yahvé Sabaot !
Heureux les habitants de ta Maison,
ils te louent sans cesse.

Psaume 84,2,5 version chantée

L'office divin est à la fois la parole de Dieu adressée
à l'homme et le travail de l'homme pour Dieu.
L'office divin est Dieu se révélant lui-même en
termes humains, et c'est la dette de l'homme qui lui
est payée par l'intermédiaire du sacrifice.

Dom Hubert Van Zeller, *The Holy Rule*

LE TRAVAIL ET LE SON
DE LA LOUANGE:
LE CHANT

*Lorsque vous chantez avec la voix, vient un
temps où cesse la voix; à cet instant, vous vous
mettez à chanter avec votre vie, et désormais,
vous ne cesserez jamais de chanter.*
Saint Augustin

*Des sons exquis renforceront le pouvoir
des belles paroles.*
G. van der Leeuw,
Sacred and Profane Beauty

Occupation principale du moine et de la moniale,
l'adoration de Dieu s'accomplit quotidiennement pendant la célébration de l'office divin et de
l'Eucharistie. Selon la pensée de saint Benoît, l'adoration de Dieu doit être empreinte de la révérence, du
respect, de la beauté qui reviennent à Dieu. Saint
Benoît cite le Psaume 138: «En présence des anges, je
te chanterai des psaumes.» Puis il dit au moine:
«Considérons donc comment il faut être sous le
regard de la divinité et de ses anges, et tenons-nous
pour psalmodier de telle sorte que notre esprit soit à
l'unisson de notre voix.»

Le chant monastique, et notamment le chant grégorien, peut-être le type de chant monastique le plus répandu en Occident, pare l'adoration de Dieu. Un spécialiste, dom Gajard, maître de chapelle réputé de l'abbaye de Solesmes, se prononce : « Le chant est à la fois prière et liturgie ; il est la prière liturgique célébrée en chant. » Dans la liturgie, le chant fonctionne comme véhicule de la prière, véhicule qui élèvera l'âme du moine à la forme d'expression suprême de la louange de Dieu.

De par sa simplicité, sa beauté, le chant grégorien fut employé de par les siècles comme moyen pour le moine d'embellir, de souligner l'adoration de Dieu par la liturgie. Il faut d'abord noter la corrélation intrinsèque entre les notes de la musique et le texte de la Liturgie. Le chant grégorien allie étroitement son et paroles : l'un n'existe pas sans l'autre. Les paroles rendent éloquente la musique, elles convertissent le chant en une incantation fervente. Dans les mots de dom Gajard : « Le chant grégorien est avant tout une prière, et rien d'autre qu'une prière. Il est chanté et adressé uniquement à Dieu. »

Les différentes saisons liturgiques et fêtes de l'année ecclésiastique trouvent dans l'ancienneté et l'étendue du répertoire grégorien la diversité d'expression qu'elles requièrent. Le répertoire grégorien pour l'Avent et Noël, par exemple, diffère grandement de celui du carême ou de Pâques qui, à son tour, ne ressemble en rien à celui appartenant à ce que l'on désigne désormais par « le temps ordinaire ». Ce type de chant prit forme dans l'Église latine au fil des siècles ; les monastères, notamment, le pratiquaient comme forme la plus appropriée d'adoration et de louange. Maintes traditions de chant ont vu le jour, issues de divers endroits : le chant romain, le chant mozarabe issu d'Espagne, le chant ambrosien de Milan, le chant sarum en provenance d'Angleterre, et bien sûr, le chant grégorien, ayant survécu à ce jour et dont la réputation prédomine.

Les mélodies sont composées en modes, non pas selon la structure tonale courante de nos jours. Les chants sont de ce fait dotés d'un caractère coloré, expressif, qui leur est propre. Le chant grégorien comporte huit modes, chacun doté d'une saveur particulière, qui jouera du spectre entier des nuances et des propriétés. Le chant grégorien se distingue également des autres musiques en ce qu'il ne possède aucun tempo, seulement un rythme. La qualité subtilement modale du chant libre de rythme rend le chant grégorien parfaitement apte à l'expression de la prière. Sa structure musicale intrinsèque se fonde sur la prière, elle induit un état contemplatif. Comparativement à d'autres formes de musique religieuse, la mélodie grégorienne atteint une pureté sublime, apte à articuler la richesse du texte liturgique, et elle crée effectivement une atmosphère de sérénité où peut s'élever à la tranquillité l'âme du moine, vers des sommets contemplatifs aux confins du mystère de Dieu.

> Ce qui se produit pendant la Liturgie est impossible en l'absence de la musique, de la poésie, du geste, et de l'émotion. L'homme est amené à la vérité. Il doit être gratifié en ses bras, ses jambes, ses yeux, ses oreilles, sa tête et en son cœur : il doit se lever, s'agenouiller, chanter, écouter, fermer les yeux,

joindre ses mains, garder le silence... Si l'homme doit se livrer à cela en l'absence de la musique, il faut le déplorer, c'est qu'il a oublié comment chanter... en l'absence du corps, c'est qu'il a oublié qu'il a un corps... en l'absence d'un air de fête, c'est qu'il n'aime plus adorer.

BERNARD HUYBERS, *The Performing Audience*

Dó-mi-nus·di-xit ad me: Fí-li-us mé-us es tu, e-go hó-di-e gé-nu-i te.

LE TRAVAIL DE LA
LECTURE SACRÉE:
LECTIO DIVINA

Ainsi donc, les chrétiens connaissent par les Saintes Écritures et des révélations divines la grandeur et la bonté de Dieu envers ceux qui recourent pieusement à lui et se purifient de leurs fautes par la pénitence; non seulement ils ne sont pas contraints d'expier les fautes commises autrefois, mais ils obtiennent encore les richesses promises.
     ABBA PAUL LE SIMPLE,
       Les apophtegmes des Pères du désert

Les moines tenaient les paroles des Écritures en grande estime, et il était conseillé de mémoriser et de réciter les textes sacrés; ces faits indiquent la présence au sein du monachisme du désert d'une culture qui s'appuyait fortement sur les Écritures. Outre sa position dans la sinaxis publique, les Écritures jouaient également un rôle clef dans la vie des cellules, où elles étaient récitées, ruminées et méditées en petits groupes de moines ou individuellement, dans la solitude.
     D. BURTON-CHRISTIE,
       The Word in the Desert

S aint Benoît propose au moine qui entre au monastère avec pour seul motif la quête de Dieu, plusieurs activités appuyant cette recherche. L'une de ces activités, typiquement monastique et traditionnelle, est la lectio divina, une méditation pondérée, fervente, de la parole de Dieu dans les Saintes Écritures. Mû par l'Esprit saint et incité par la Règle, le moine s'immerge chaque jour dans cette lecture recueillie, dans ce contact vivant avec la Parole de Dieu. L'Esprit saint domine cet épisode tranquille et béni de lecture sacrée. Presque imperceptiblement, l'Esprit fait naître chez le moine une soif impérieuse de la Parole de Dieu et de toute chose liée à une vie en union avec Dieu.

Ainsi, les Saintes Écritures ne sont pas qu'un simple livre : elles forment un ouvrage tout à fait exceptionnel. Le moine, comme chaque chrétien d'ailleurs, conçoit que, non seulement ce livre contient la Parole révélée de Dieu, mais qu'il est la Parole de Dieu. La Parole inculque mystérieusement la connaissance de Dieu dans l'esprit du moine qui, dans le silence de son cœur, apprend à entendre cette Parole avec humilité et émerveillement. Tout au long de son cheminement sur la voie monastique, il y trouvera encouragement, réconfort, illumination. La Parole de Dieu telle que la dévoilent les Écritures est effectivement le pain quotidien du moine, car elle dévoile l'amplitude du mystère ineffable de Dieu, un mystère de toute éternité insondable.

Chaque monastère désigne normalement une partie du jour consacrée à la lectio divina. Plusieurs monastères optent pour le petit matin, après les offices. Plus tard dans la journée ou le soir, le moine cherche l'occasion de revenir à cette lecture sacrée, un doux répit en présence de celui qu'adore son cœur et vers qui il tend. Le moine se livre généralement à la lectio divina dans la solitude de sa cellule, là où il demeure seul avec Dieu. La cellule monastique, sous l'effet de cette interaction divine y prenant place, se transforme en un creuset incandescent où, nuit et jour, se consume le feu de l'Esprit saint.

La lectio divina concerne principalement la lecture des Saintes Écritures, la méditation et la prière les employant; cependant, on permet également la lecture d'autres textes religieux, ceux des pères de l'Église par exemple, ou des pères et mères du monachisme, des textes de la liturgie, de traités sur la prière. Ces ouvrages s'inspirent après tout directement des Écritures, et sont de fait le fruit de l'Esprit saint, dont l'envergure dépasse les Écritures, car il souffle là où il le désire. La période assignée et passée à la lectio divina doit être employée avec sagesse afin d'instiguer une rencontre avec le Dieu vivant qui souhaite parler et se révéler au cœur du moine. Le temps de lectio divina est réservé à Dieu seul, et toute interférence, interruption ou distraction s'avère inopportune. Animé par une fervente humilité, le moine demande la direction de l'Esprit saint afin d'organiser judicieusement le temps alloué à la lectio divina, pour en faire ainsi un temps de répit spirituel, de prière intense et intime, et de paix authentique menant le moine à se plonger à loisir dans la présence de Dieu.

Lorsque le moine lit, qu'il recherche la saveur et non la science. Les Saintes Écritures sont le puits de Jacob d'où sont puisées les eaux qui plus tard seront versées dans la prière. Il n'y a donc pas nécessité d'aller à l'oratoire pour se mettre à prier : mais on trouvera, dans la lecture même, les moyens pour la prière et la contemplation.

ABBÉ ARNOUL DE BOHERISS,
Speculum Monachorum

Le travail de nos mains

Mais nous vous engageons, frères, à faire
encore des progrès en mettant votre honneur à
vivre calmes, à vous occuper chacun de vos
affaires, à travailler de vos mains comme nous
l'avons ordonné. Ainsi vous mènerez une vie
honorable au regard de ceux du dehors et vous
n'aurez besoin de personne.

1 Thessaloniciens 4,10-12

...car alors ils sont vraiment moines, s'ils vivent
du travail de leurs mains, comme nos Pères et
les apôtres.

Règle de saint Benoît, chapitre 48

L es moines et moniales de l'aube de l'ère chrétienne
tiraient leur subsistance du travail de leurs mains :
généralement du tissage de nattes, de chapeaux, de tapis
ou de paniers, qu'ils revendaient plus tard au marché.
Suivant l'exemple et l'enseignement des apôtres, les premiers moines et moniales se consacrèrent humblement
à gagner leur vie, afin d'éviter d'être à la charge de qui
que ce soit. Fortement attaché à la tradition monastique
initiale, saint Benoît transmit à ses moines le même
enseignement. Sa Règle mentionne qu'à certaines heures du jour, le moine doit être occupé au travail, manuel
ou autre, en fonction des besoins du monastère, pour
ainsi y subvenir.

Le travail fait partie intégrante de la vie humaine, que ce soit à l'intérieur ou à l'extérieur du monastère. L'attitude avec laquelle le moine aborde son travail est ce qui le distingue de l'approche au travail qu'ont ses frères humains. Strictement utilitaire, le travail au monastère n'est pas motivé par des visées carriéristes, une soif de succès, ou par l'avidité. La fonction première du travail monastique réside dans l'imitation de Jésus, l'humble charpentier de Nazareth, venu nous enseigner un modèle pour une façon de vivre et d'organiser sa vie. En second lieu, le rôle du travail monastique consiste à répondre aux besoins du monastère et à fournir un soutien à la communauté. La troisième fonction du travail monastique – parfois sujette à omission – réside dans l'équilibre qu'instaure le travail dans le rythme quotidien de la vie monacale. La routine régulière tente de doser prière et travail, lecture, étude et repos. Cet équilibre crucial affranchit l'esprit et le cœur du moine en vue de réaliser l'objectif pour lequel il est entré au monastère : la communion avec Dieu. Bien qu'il s'accomplisse dans la solitude et dans l'enceinte du monastère, le travail apporte à la vie du moine une dimension positive, rédemptrice. Le moine y sera confronté à la souffrance, à la difficulté et à l'insécurité qui sont le lot de multiples travailleurs de par le monde. Par le travail, il exprime sa solidarité avec ceux qui doivent gagner leur vie « à la sueur de leur front ».

Le travail au monastère possède plusieurs aspects concrets, il dépend des nécessités pratiques du lieu et de la communauté, il suit le commandement d'obéissance et repose sur les talents individuels des moines. Il faut d'abord procéder à l'entretien général des bâtiments et du domaine appartenant au monastère. Puis, vient le nettoyage et autres tâches habituelles, appartenant aux diverses sections du monastère : la chapelle, la sacristie, la bibliothèque, le réfectoire, la cuisine, la blanchisserie, l'auberge. D'autre part, la ferme, les potagers et jardins, la coupe du bois et autres travaux extérieurs requièrent tous un labeur exigeant. L'industrie propre à chaque monastère, le produit du travail manuel des moines – confections alimentaires, icônes, etc. – est vendu pour financer le monastère. Diverses fonctions et tâches, semblables à celles qu'entraîne la tenue de toute maisonnée, sont également attribuées individuellement aux moines. Nous avons par exemple un portier, un aubergiste, un responsable du cellier, un archiviste, un bibliothécaire, un cuisinier, un charpentier, un électricien, un infirmier.

Le travail sur notre petite ferme et dans nos potagers engage de constants efforts. Bien que peu rémunérateur, ce travail s'est avéré l'instrument qui nous garde bien ancrés dans la réalité, et conduit, jour après jour, à prendre conscience de notre absolue dépendance envers Dieu. C'est pourquoi les moines choisissent habituellement de vivre près de la terre – et de ce fait, de Dieu qui la rend fertile. Ici, à Notre-Dame de la Résurrection, nous n'élevons plus que des moutons et quelques poules, qui nous fournissent les œufs toute l'année. La culture des potagers exige également de rudes efforts, mais cette occupation s'avère un peu plus lucrative puisqu'elle fournit notre table, et en outre, elle donne des produits à vendre au marché hebdomadaire de Millbrook.

Notre monastère possède un petit kiosque au marché, semblable à ceux des fermiers de la région, et là

nous vendons les produits de notre ferme et de nos potagers : œufs, vinaigres aux herbes, confitures et marmela-
des, miels, condiments et sauces, achards et marinades,
aromates séchés, et divers mets préparés. Chaque
semaine, notre aventure au marché est plutôt humble et
sobre, elle s'accorde avec la tradition des moines et
moniales du désert. Cette expérience m'éclaire aussi sur
le chapitre 5 de la Règle, dans lequel saint Benoît conseille d'éviter l'avidité dans l'établissement des prix et
suggère même de vendre nos marchandises à un prix

inférieur à celui que proposent les gens de l'extérieur du
monastère, afin qu'en tout, Dieu puisse être glorifié.
Voilà qui n'est pas toujours simple ni facile ; il faut user
d'une certaine discrétion et de discernement, vertus que
sollicite impérieusement la Règle.

Outre l'affermissement des vertus, l'expérience du
marché hebdomadaire offre au moine l'intense satisfac-
tion de partager les mêmes tensions et frustrations, le
rude labeur, les joies et les gratifications d'autres fermiers
de la région. Naît alors entre nous une certaine solidarité. Ma première apparition au marché, lorsque je me
mis à offrir les produits de notre monastère, en laissa
plus d'un dans la stupéfaction : on ne savait que penser
de ma présence. Aujourd'hui pourtant, une amitié s'est

nouée entre les marchands et moi, car ils comprennent désormais que nous, les moines, partageons la même incertitude, le même combat pour gagner notre vie par le travail de nos mains. Notre acceptation mutuelle est telle que certains viennent parfois faire quelques échanges avec moi, selon nos besoins respectifs, ou encore, ils s'approchent pour me faire une confidence et me demander de prier pour eux.

Le travail est une réalité incontournable de la vie monastique au jour le jour. Le bon moine ne cherche pas à y échapper; il l'aborde plutôt avec l'humilité qui nourrit une attitude recueillie dont s'imprégnera son labeur. Les joies et les souffrances qui accompagnent son travail, il les laisse prendre place dans sa prière quotidienne. Et, suivant l'avis de saint Benoît: « Qu'en toute chose, Dieu soit glorifié. »

> Si vous allez au monastère dans l'espoir de voir d'autres hommes et d'autres femmes du monde, vous serez déçu, peut-être scandalisé, de constater la quantité de temps passé à des tâches ordinaires, telles que la traite des vaches, l'engraissement des champs, l'entassement du foin, la fabrication du pain, l'élevage des abeilles, la fabrication de confitures. Le secret de la sainteté, de la plénitude, de la santé s'y trouve pourtant, car la vie est un dialogue minutieusement structuré, peut-être même artistique, entre l'esprit et la création. De ce dialogue, naît l'état vrai d'humanité.
>
> JAMES DESCHENE,
> *The Mystic and the Monk:*
> *Holiness and Wholeness*

Un espace simple consacré à Dieu

Il arrivera dans la suite des temps que la montagne de la Maison de Yahvé sera établie en tête des montagnes et s'élèvera au-dessus des collines. Alors toutes les nations afflueront vers elle, alors viendront des peuples nombreux qui diront: «Venez, montons à la montagne de Yahvé…»

ISAÏE 2,2-3

E n 1977, après maintes années de pérégrinations dans des monastères appartenant à d'autres communautés, suivies d'une lutte et d'une longue attente pour obtenir un domicile plus permanent, le Seigneur nous a offert cette propriété où s'élève aujourd'hui notre monastère. Sis au sommet d'une colline dans le comté de Dutchess, il jouit d'un isolement adéquat. Le domaine comprend vingt-deux acres et était occupé à l'origine par deux petits pavillons plutôt éloignés l'un de l'autre. L'un de ces pavillons devint notre auberge Sainte-Scholastique, après rénovations et partition en quatre chambres à coucher, lavoir, cuisines, et une minuscule salle à dîner. Les hôtes, comme l'affirme saint Benoît, ne manquent jamais dans un monastère. De l'autre pavillon nous fîmes le noyau de notre monastère, qui fut baptisé en l'honneur de saint Benoît.

Au fil des ans, le noyau originel s'est doté de quelques augmentations : agrandissement de la bibliothèque, de l'atelier, et d'autres pièces fonctionnelles. Ni nos bâtiments ni notre propriété ne comporte de superflu, et toute annexe a été construite avec une simplicité rustique. Plusieurs années se sont écoulées ici, et nous avons finalement entrepris la construction de l'église monastique, véritable sanctuaire de recueillement. Érigée au sommet d'une colline élevée, notre église se démarque comme un phare de Dieu et comme signe d'espoir pour tous ceux qui y viennent prier.

Notre petite église est dotée d'une architecture simple et accessible, un amalgame des traditions de l'Ancien et du Nouveau Monde, de nos racines archaïques et de notre nouvelle résidence. L'édifice marie pierres et bois en provenance de notre région, des matériaux employés dans l'architecture historique et contemporaine typique du comté Dutchess. L'église représente de façon tangible le mystère de l'Incarnation parmi nous.

Quatre fois par jour, nous célébrons en cette église le culte auquel le monastère s'abreuve de quiétude et qui lui donne une pulsation immuable. Dans la tranquillité du petit matin, nous y chantons vigile et laudes, également à la petite heure à midi – un heureux répit au milieu du jour. Suivent les vêpres au crépuscule : offrande d'une hymne vespérale et action de grâce à Dieu pour le don de la lumière. Le soir venu, les complies, notre ultime prière, signe la fin de la journée monastique. Les chants grégoriens et de l'ancienne tradition russe employés dans notre culte s'harmonisent parfaitement aux lignes et aux contours austères de notre minuscule église, et soulignent le fait que cet endroit tout simple est un espace consacré à Dieu, une oasis où le Dieu vivant érige sa tente au milieu de son peuple.

Le monastère possède, à mon avis, une significa-tion pour les gens de notre temps, car il représente un équilibre, un juste milieu, une harmonie qui découlent de l'heureux mélange de différents aspects de notre vie : notre prière et notre chant expriment une soif véritable de Dieu, notre vie simple et notre travail manuel nous gardent en contact avec les réalités terrestres, nos rapports fraternels sont empreints d'une qualité et d'une intensité particulières, et du respect constant de l'individualité de la personne ; en second lieu, par le fait d'ouvrir les portes aux hôtes en signe d'ac-cueil, nous ouvrons symboliquement au monde les portes du monastère, à tout ce qu'il contient d'humain et de bon.

Réflexions d'un moine français à l'occasion du 1500ᵉ anniversaire de la naissance de saint Benoît

La fête de la moisson

Venez, vous tous pleins de gratitude, venez
Que s'élève le chant de la moisson
Tout sera certainement à l'abri
Avant que ne souffle la tourmente de l'hiver
Dieu, notre créateur, assure
Que soient comblés tous nos besoins
Venez au temple de Dieu, venez
Que s'élève le chant de la moisson

HENRY ALFORD (1810-1871),
Hymne de l'Action de grâces

Au monastère, là où se marient les rythmes de la Liturgie à ceux des saisons, l'automne marque le terme de l'année agricole. Septembre, et surtout octobre et novembre, accueillent les dernières moissons de riches récoltes que l'on engrange pour l'hiver. La terre peut enfin respirer jusqu'au printemps prochain.

En octobre, le blé et le maïs des champs voisins s'élancent vers un ciel d'un bleu immaculé. Les fermes doucement vallonnées du comté Dutchess et du comté voisin, Litchfield, au Connecticut, offrent le ravissant paysage de champs ceints de clôtures de pierre regorgeant de citrouilles, de courges, de pommes de terre, et de quelques tomates tardives. Paysage fréquent de la région, les vergers lourds de fruits mûrs et les vignobles aux alignements de grappes d'un doux violet, à maturité, dont les effluves sucrées assaillent tous ceux qui s'approchent. Les mois d'automne lorsque le temps est clément, nos yeux festoient à cause de la beauté qu'offre une tapisserie de champs épanouis, de vergers et de vignes dans les prés, de l'explosion glorieuse des flamboyantes couleurs des érables sous un soleil éblouissant, et de cet air d'automne cristallin, si enivrant!

Comme toute ferme ou toute propriété, les monastères connaissent une recrudescence d'activités en rapport à la moisson et à la préparation en vue de l'hiver qui approche. Voilà le temps de consolider les gains de l'été et d'apprêter de mille façons les produits de la terre : boisseaux de pommes de terre nouvelles, courges de toutes sortes, oignons, ail et pommes à entreposer dans le cellier du monastère en vue d'une consommation ultérieure. Les tâches sont sans fin : congélation, mise en conserve, préservation, fabrication de confitures et de gelées des fruits de la récolte. Ces activités demandent beaucoup de temps, mais elles s'avèrent essentielles lorsqu'on tente de vivre du travail et des produits de la terre. Il faut encore récolter et sécher les herbes aromatiques pour la cuisine.

L'époque de la moisson en est une de richesse et d'abondance. Il est du devoir du moine de prêter attention à la cadence immuable de la nature, qui lui indique de remettre à plus tard ses occupations et de concentrer ses efforts sur le difficile labeur que demande la moisson. Au fil des mois d'automne, les jardins de fleurs continuent également d'exiger de l'attention bien que moins assidûment que pendant l'été. Octobre et novembre constituent le moment idéal pour séparer et transplanter les plantes vivaces. Certaines plantes requièrent aussi un soin particulier, les plantes fragiles par exemple, que l'on doit mettre à l'abri dans la serre pour les préserver jusqu'à la saison prochaine.

La Liturgie possède de même son cycle propre en accord avec le rythme des célébrations saisonnières et festives qui, dans l'hémisphère nord, s'attachent étroitement à l'automne et à la moisson. Le 14 septembre, nous célébrons au monastère la fête du Triomphe de la glorieuse Croix du Christ. L'horaire hivernal débute ce jour-là qui, nonobstant les dimanches et les jours de fête, restera en vigueur jusqu'à Pâques. Durant cette période, les moines respectent encore la tradition ancienne qui consiste à réduire la quantité de nourriture absorbée, pratique qui acquiert une austérité encore accrue à l'Avent et pendant le carême. Les moines ne perçoivent pas négativement la pratique du jeûne, mais il la conçoivent davantage comme une méthode permettant de transformer l'esprit et de subjuguer notre nature faible. Le jeûne, dans le cadre monastique, vise à équilibrer l'ordre spirituel et l'ordre naturel chez le moine et la moniale.

Le premier novembre, nous célébrons la Toussaint, une fête à caractère familial, car les saints sont les amis de Dieu et intercèdent pour nous auprès de lui. Aux yeux des moines, les saints possèdent une réalité tangible, car nous nous attachons à la foi de l'Église originelle, lorsqu'elle n'était pas encore divisée. Nous sommes baptisés, au moment de notre entrée au monastère, du nom d'un saint qui sera désormais notre modèle, notre ami et notre protecteur. Nous, les moines, croyons que les saints, depuis leur résidence céleste, n'ont jamais cessé d'intercéder en notre nom et de nous seconder dans l'accomplissement prompt et adéquat de notre tâche sur terre. La communion des saints est un mystère qui demeure tout à fait réel, personnel et qui apporte au cœur du moine le réconfort. Nous avons la certitude profonde que nous ne sommes jamais seul, car le Seigneur prend soin de nous, la Mère de Dieu est à nos côtés, et nos amis les saints nous accompagnent, plaidant avec ferveur notre cause.

Le 11 novembre, les monastères célèbrent la fête de saint Martin de Tours, moine et évêque des temps jadis dont la vie fut consacrée à évangéliser la France. Cette fête monastique est empreinte d'intimité, car moines et moniales aiment tendrement saint Martin, notamment en France. Cette fête est suivie de l'Action de grâces, jour choisi pour bénir spécialement le Seigneur et lui offrir notre gratitude pour le miracle d'une excellente récolte. L'Action de grâces fournit l'occasion de remercier Dieu pour la moisson, et en outre, pour les bénédictions tout au long de l'année. Le jour de l'Action de grâces marque l'apogée de la saison d'abondance et de fructification. Par la suite, les soirées raccourcissent de façon marquée et le déclin graduel de l'automne se fait sentir ; après quoi suit l'arrivée précipitée de l'hiver.

Au monastère, l'automne se démarque des autres saisons parce qu'elle nous dévoile nos vies en filigrane à la beauté manifestée dans la nature qui nous entoure. Lorsque les arbres se dénudent de leurs radieuses feuilles, nous sommes appelés à laisser derrière nos entraves, et à nous absorber dans nos efforts spirituels. Et lorsque nous délestons notre vie monastique de tout le superflu et de l'inutile, alors, nous recevons du Seigneur le don de la paix intérieure et la promesse de la vie éternelle.

Puisse-t-il nous soutenir au long du jour
Jusqu'à ce que se déploient les ténèbres
Et que vienne le soir
Et que s'assoupisse le monde trépidant
Et que s'apaise la fièvre de la vie
Et que ne s'achève notre labeur.
Alors dans sa miséricorde
Puisse-t-il nous offrir un gîte sûr
Et le repos béni
Et la paix finalement

JOHN HENRY CARDINAL NEWMAN

GLOSSAIRE

Abbatiat : terme durant lequel un abbé ou une abbesse demeure en fonction.

Abbaye : monastère gouverné par un abbé ou par une abbesse.

Abbesse : mère et dirigeante d'un monastère de moniales.

Abstinence : pratique ascétique ancienne par laquelle les moines s'abstiennent de consommer de la viande.

Acédie : état de découragement et de léthargie, répugnance que développe le moine à l'égard de sa vie spirituelle ou monastique.

Ancien : nom désignant les moines qui sont généralement versés en matières spirituelles et qui ont l'expérience de la vie religieuse.

Angélus : dévotion monastique en l'honneur du mystère de l'Incarnation annoncé par une cloche matin, midi et soir.

Antienne : texte bref tiré des Psaumes et qui est chanté avant et après le psaume.

Antiphonaire : recueil comprenant la musique et les textes servant aux heures d'office divin.

Apatheia : terme grec employé par les Pères et les Mères du désert pour désigner un état qui ne soit plus assujetti aux passions ni motivé par celles-ci.

Apophtegme : brève sentence énoncée par un Père ou une Mère du désert à l'adresse d'un disciple ; une phrase imbue de sagesse et source de vie.

Archiviste : moine ou moniale responsable des archives d'un monastère.

Ascète : personne engagée dans une existence consacrée à l'ascétisme.

Ascétisme : pratique de l'autodiscipline et de sacrifice de soi.

Aspergès : aspersion rituelle d'eau bénite sur les moines ou les moniales à la fin des complies avant qu'ils ne se retirent pour la nuit. Cette aspersion s'effectue également le dimanche au début de la messe conventuelle.

Auberge : portion des bâtiments d'un monastère où logent les hôtes.

Aubergiste : moine responsables des hôtes du monastère.

Avent : saison liturgique précédant et préparant Noël.

« Benedicamus domino » : salutation monastique échangée entre moines ou à l'adresse de ceux qui arrivent au monastère.

Bénédicité : bénédiction que l'on demande avant un repas et en d'autres occasions.

Bibliothèque : pièce du monastère contenant tous les livres.

Bréviaire : recueil contenant toutes les parties de l'office divin.

Carême : période de quarante jours consacrée au jeûne et à la pénitence qui précède la célébration solennelle de la Semaine Sainte et de Pâques.

Cellérier : terme désignant l'intendant du monastère, qui se charge également de la coordination des tâches dans le monastère.

Cellule : chambre où le moine vit seul avec Dieu.

Cénobites : moines habitant dans une communauté.

Chant grégorien : chant latin monodique et dépourvu de rythme que l'on emploie normalement dans les services liturgiques au monastère ; certains monastères en ont fait une adaptation en vernaculaire.

Chapitre : assemblée des moines, semblable à un comité, se réunissant sous la direction de l'abbé ou du prieur afin de discuter de questions d'importance en rapport avec la vie du monastère.

Chœur : section de l'église où les moines ou moniales participent à l'Eucharistie et chantent les heures de l'office.

Claquette : instruments de bois servant à l'appel de la communauté pour les services les derniers jours de la Semaine Sainte ; ils se substituent à la cloche employée en temps ordinaire.

Cloître : section fermée d'un monastère, fréquemment employée pour les processions.

Collation : dîner léger pris le soir des jours de fête.

Complies : prière nocturne du moine ; dernière heure de l'office.

Conversion : un des vœux que prend le moine lors de sa profession qui l'engage à suivre le mode de vie monastique.

Coule : habit de chœur que portent sur leur vêtement ordinaire les moines lors de cérémonies liturgiques.

Décorum monastique : étiquette, manières ou conduite individuelle appropriées pour les moines et les moniales.

Désert : lieu d'origine du monachisme et son perpétuel idéal.

Discrétion : enseignement de saint Benoît enjoignant le moine de pratiquer la modération et l'équilibre en toute chose ; vertu monastique caractéristique.

Dortoir : section du monastère abritant les cellules des moines.

Doxologie : prière courte à la louange de la Sainte Trinité normalement chantée à la fin des psaumes et de l'hymne.

Eau bénite : eau bénie employée quotidiennement dans les rituels monastiques.

« Écoute » : première parole de la Règle de saint Benoît.

Église abbatiale : église monastique d'une abbaye.

Enceinte : section privée du monastère réservée aux moines et aux moniales afin de favoriser une atmosphère silencieuse et recueillie.

Érémitique : éléments liés à la vie des ermites ou des moines solitaires.

Ermite : moine ou moniale vivant dans la solitude.

Eucharistie : célébration du repas du Seigneur ; aussi dite liturgie de la messe.

Graduel : livre contenant les chants pour le propre et l'ordinaire de la messe.

Grand silence : période de silence strict à la nuit entre l'office de complies et la fin des laudes.

Habit : vêtement ou robe que portent les moines et moniales.

Hebdomadier : moine ou moniale désigné pour diriger les offices de la semaine.

Hesychia : calme, quiétude, repos, tranquillité ; état intérieur de prière perpétuelle et d'union avec Dieu qui constitue l'idéal de chaque moine et moniale.

Heure: terme désignant les parties individuelles de l'office divin.

Humilité: vertu sur laquelle insistent tous les Pères et Mères du monachisme.

Hymne: chant de louange adressé à Dieu au début de chaque heure de l'office divin.

Icône: images ou représentations sacrées du Seigneur, de la Mère de Dieu, et des saints qui sont utilisées pour le culte monastique ou pour les dévotions personnelles des moines et moniales.

Iconographe: moine ou moniale responsable de la peinture d'icônes, et pour laquelle il ou elle démontre un talent certain.

Infirmier: moine assigné aux soins des malades.

Instruments des bonnes œuvres: conseils monastiques donnés au chapitre 4 de la Règle de saint Benoît.

Introït: antienne d'introduction tirée de l'office propre et qui est chantée au début de la célébration eucharistique.

Invitatoire: psaume (normalement le 94) et antienne chantés au début de l'office des vigiles.

Jardinier: religieux responsable des jardins du monastère.

Jeûne monastique: période de jeûne qu'entreprennent annuellement les religieux et qui se prolonge du 14 septembre jusqu'à Pâques, à l'exclusion des dimanche et des jours de fête.

Kyrie Eleison: prière de requête signifiant « Seigneur, aie pitié » employée à certaines parties de la messe et à la fin de tous les offices; cette brève prière grecque est l'une des plus anciennes prières chrétiennes qu'employaient les premiers moines pour atteindre à la prière perpétuelle.

Laudes : second office de la journée, chanté à l'aurore ; on l'appelle également Louange du matin, car les psaumes chantés à cette heure sont généralement des psaumes de louange.

Leçon : lectures tirées des Écritures et des ouvrages des Pères faites pendant les célébrations liturgiques.

Lecteur hebdomadaire : moine ou moniale assigné à la lecture pour la semaine qui vient au réfectoire.

Lectio divina : pratique monastique qui consiste à « lire les choses divines », spécialement la Bible, où Dieu parle directement au cœur du moine par l'intermédiaire de textes sacrés.

Liturgie : culte formel que pratique la communauté monastique comprenant l'Eucharistie et l'office divin.

Lucernaire : section de l'office des vêpres pendant laquelle on allume les lumières du soir. Elle commémore le sacrifice vespéral du Christ et est l'une des plus anciennes composantes de l'office que l'Église originelle hérita de la synagogue ; elle comprend le Psaume 140, les prières à la lumière et l'Hymne à la lumière.

Magnificat : cantique à Marie chanté pendant les vêpres.

Maîtres de chant : moines responsables d'entonner les chants religieux, antiennes, hymnes, répons, etc., ou d'en chanter certaines parties seuls.

Maître des novices : moine plus âgé responsable de la formation des novices ou des nouveaux candidats à la vie monastique.

Martyrologe : recueil contenant l'ensemble des fêtes liturgiques et des commémorations des saints jour après jour ; lecture en est faite quotidiennement pour annoncer la fête ou la commémoration du lendemain.

Matines : office de la nuit ou office des lectures qui porte aujourd'hui un nom plus ancien : office des vigiles.

Metanoia : repentir, conversion, transformation de l'âme.

Missel : livre d'autel rassemblant toutes les parties de la messe romaine.

Moine : du grec *monos*, qui signifie seul, unique, solitaire.

Monachisme : désigne l'établissement, ou encore l'état de moine ou de moniale.

Monastère : lieu de vie de ceux qui adoptent l'existence monastique.

Monastique : éléments liés à la vie des moines ou des moniales.

Moniale : Religieuse consacrée à la vie monastique.

None : neuvième heure de l'office, chantée vers trois heures de l'après-midi.

Novice : candidat à la vie monastique qui est formé en vue de devenir moine.

Noviciat : période d'entraînement formel du moine.

Obéissance : un des trois vœux monastiques par lequel le moine renonce à sa volonté propre et consent à vivre selon la Règle.

Oblat : personne affiliée à un monastère spécifique et qui possède avec ce dernier un lien particulier.

Observance : pratiques spécifiques à un monastère liées à l'observation d'une règle et de rites anciens.

Octave : période de huit jours suivant la célébration d'une solennité ou d'une fête majeure.

Office divin : terme traditionnel pour désigner la liturgie des heures ; elle comprend les vigiles, les laudes, prime, tierce, sexte, none, les vêpres et complies, chantées à des moments précis de la journée.

Onomastique : fête d'un saint dont le moine ou la moniale porte le nom.

Opus Dei : signifie « œuvre de Dieu » ; saint Benoît l'emploie pour référer exclusivement aux heures liturgiques de l'office divin.

Opus manuum : expression employée par saint Benoît pour désigner le travail manuel des moines.

Oratoire : terme employé par saint Benoît pour décrire l'endroit où les moines prient et chantent l'*Opus Dei.*

Ordinaire : sections de la messe et de l'office qui ne changent pas et qui sont répétées à chacune de leur célébration respective.

Parloir : pièces du monastère servant à recevoir et à converser avec les visiteurs de l'extérieur.

Pax : paix ; devise et idéal des monastères qui suivent la Règle de saint Benoît.

Pères et Mères du désert : précurseurs du mouvement monastique animés de l'Esprit.

Père ou mère spirituel(le) : moine ou moniale ayant l'expérience de la vie spirituelle et qui servira de mentor aux débutants ou à ceux dont l'expérience est plus restreinte.

Pièce du chapitre : pièce du monastère où se tient le chapitre.

Portier : moine en poste à l'entrée du monastère qui accueille les visiteurs.

Postulant : candidat entré récemment dans la vie monastique.

Prière du cœur : expression référant à la prière intérieure, plus spécifiquement à la prière de Jésus.

Prieur : second à la tête du monastère après l'abbé, il agit comme supérieur lorsqu'un monastère ne possède pas d'abbé.

Prieuré : monastère dirigé par un prieur en lieu d'un abbé.

Prime : première des petites heures de l'*Opus Dei*, chantée habituellement vers six heures du soir ; dans l'office romain, elle est supprimée, de ce fait plusieurs monastères l'omettent désormais dans leur observance quotidienne.

Procession : rituel liturgique fréquemment utilisé dans les monastères.

Profession monastique : rite par lequel le moine ou la moniale s'engage perpétuellement à la vie monastique.

Propre : portions particulières de la messe ou de l'office qui sont modifiées selon la saison ou la fête.

Prostration : forme symbolique de pénitence ou de prière rituelle issue de la tradition du désert et employée par les moines.

Psalmodie : chant quotidien des psaumes lors de l'office divin, tirant son origine du culte à la synagogue et de celui de l'Église originelle.

Psautier : livre des psaumes employé quotidiennement lors de l'office divin.

Quies : repos, quiétude, tranquillité ; état de repos dont jouit l'âme lorsqu'en union avec Dieu.

Réfectoire : salle à dîner d'un monastère où les moines prennent leurs repas.

Règle : du latin « regula », il s'agit de l'ouvrage qui sert de fondement et de guide pour la vie des moines et des moniales ; la Règle contient à la fois l'esprit de l'existence monastique ainsi que les règles prescrites à son sujet.

Repentir : chagrin éprouvé à cause du péché ; désir ardent de conversion.

Responsorial : répons chanté pendant l'office après une leçon tirée des Écritures ou une lecture inspirée des Pères ; habituellement, elle est tirée des psaumes.

Révérence : inclination prononcée du corps qu'emploient les moines pour signifier la révérence ou le respect.

Rituale : recueil de l'ensemble des cérémonies propres à un monastère.

Sacristain : moine assigné à l'entretien de la sacristie, des vêtements sacerdotaux et des vases sacrés de l'autel.

Sacristie : pièce adjacente à l'église du monastère où sont gardés tous les instruments liés à la célébration de la liturgie.

Sandales : chaussures faites de semelles attachées au pied et portées généralement par les moines et moniales en accord avec la tradition ancienne.

Scapulaire: partie de l'habit monastique portée sur la tunique qui descend presque jusqu'à la cheville; il tire son origine du tablier de travail que portaient jadis les moines.

Séquence: hymne poétique chantée certains jours de fête pendant la messe avant l'Alléluia.

Sexte: sixième heure de l'office divin, vers midi.

Silence: pratique monastique qui favorise chez le moine le souvenir et l'union constante avec Dieu.

Simplicité: vertu évangélique qui suscite chez le moine une condition d'être simple, innocent et unifié; elle affranchit le moine de tout leurre et des préoccupations mondaines.

Solitude: espace physique où le religieux se retire du tumulte du monde afin de chercher Dieu dans la tranquillité et l'isolement.

Stabilité: vœu monastique liant le moine ou la moniale à un monastère ou à une communauté en particulier.

Statio: pratique monastique qui consiste à se rassembler un court instant en silence dans le cloître à l'extérieur de l'église avant de défiler en procession à l'intérieur pour la célébration de la messe ou de l'office; cette pratique favorise la concentration préliminaire à la prière.

Théotokos: terme grec signifiant « mère de Dieu » attribué à la Vierge Marie.

Tierce: heure de l'office chantée à la troisième heure du jour, vers neuf heures.

Tradition: dans le contexte monastique, réfère à la transmission d'une génération de moines à une autre des enseignements, des croyances, des coutumes et des pratiques.

Tunique : vêtement simple qui s'enfile, ceint à la taille, pièce principale de l'habit monastique.

Verset : répons bref chanté pendant l'office divin.

Vêture : rituel monastique lors duquel le novice reçoit l'habit.

Vigiles : *voir* matines.

Vœu : promesse faite à Dieu.

Vox Dei: expression signifiant «voix de Dieu» par laquelle les moines désignent le tintement et le carillon des cloches qui les convoquent pour les moments spécifiques d'adoration de Dieu.

Bibliographie

De Voguë, Dom Adalbert, *La Règle de saint Benoît*, Éditions du Cerf.

Freeman, Laurence, *La Parole du silence*, Le Jour, éditeur, 1995.

_____. *La méditation, voie de la lumière intérieure*, Le Jour, éditeur, 1997.

_____. *Un monde de silence*, Le Jour, éditeur, 1998.

Guy, Jean-Claude, *Les apophtegmes des Pères du désert*, série alphabétique, Spiritualité orientale, 1.

Louf, Dom André, *La voie cistercienne: à l'école de l'amour*, Desclée de Brouwer, 1980.

Main, John, *Un mot dans le silence, un mot pour méditer*, Le Jour, 1995.

Merton, Thomas James, *Qui cherches-tu?*, Vocation et spiritualité monastique, Oka, Québec, Abbaye cistercienne Notre-Dame du Lac, 1992.

Saint Jean Climaque, *L'Échelle sainte*, Spiritualité orientale, 24, trad. française : père Placide Deseille.

Schmemann, Alexandre, *Le grand carême*, Spiritualité orientale, 13, Éditions de Bellefontaine, 1977.

La Bible de Jérusalem, Desclée de Brouwer, 1975.

Table des matières

+

Pax

Cet ouvrage a été achevé d'imprimer
en juin 1999.